ANTON FUCHS

Auf ihren Spuren in Kärnten

Alban Berg
Gustav Mahler
Johannes Brahms
Hugo Wolf
Anton Webern

Mit einem Vorwort von Alexander Widner

Diese Essays erschienen in der Kulturzeitschrift »Die Brücke«, Nr. 1, 2/3, 4, 5/6 und 7/8 aus den Jahren 1975 bis 1978.

BILD- UND QUELLENNACHWEIS Robert-Musil-Institut für Literaturforschung der Universität Klagenfurt | Kärntner Literaturarchiv

GESTALTUNG & TYPOGRAFIE Peter Wieser, xprt**wieser**, Klagenfurt
DRUCK Carinthian Bogendruck GmbH, Klagenfurt
www.verlag.carinthia.com

ISBN 3-85378-601-4

Inhalt

Vorwort

Ein Vorwort schreiben. Vorwortschreiber haben was Anrüchiges. Sie lehnen sich an die Größe, wollen einbegleiten, was nicht begleitet werden muss. Ein Vorwort ist etwas, das gemacht wird ohne Notwendigkeit. Aber ob ich das Vorwort schreibe oder ein anderer, es ist egal. Ich weiß so wenig über die Gründe des temporären Landlebens von Komponisten wie ein anderer. Wozu also dann ein anderer? Vermutung bleibt alles allemal.

Komponisten in Kärnten. Große Komponisten, nicht solche, die der Bedeutung wieder verloren gegangen sind durch die Zeiten. Kärnten, ein Lebens- und Arbeitsraum für Komponisten? Ja, wenn es darum geht, in Abgeschiedenheit arbeiten zu können, nein, wenn es darum geht, diese Arbeit dem Verstehen einzuflößen, sie in einen Kontext zu stellen zur Umgebung, in der sie entstand. Das blüht nur dem Heimatgestrickten, dem dialektal-folkloristischen Anschleimen, das Sicherheit verheißt durch gemeinsamen Heimatdusel; die es dann nicht gewähren kann. Nur gut, dass das die Großen, Weltbürger aus Selbstverständlichkeit, nicht kümmert. Sie wollten einen ruhigen Platz, die Welt würde sich schon annehmen des Werkes. Und so geschah und geschieht es.

Das Verschwinden aus der Menge, um über das Werk zu ihr und in sie zurückzukehren. Eine altgediente Rezeptur. Vor allem aber eine notwendige, will man nicht in den allzeit offenen, riesigen Rachen des Unverständnisses fallen. Das Erproben des Schöpferischen verlangt die Unerbittlichkeit der Stille. Lärm bedingt die Bewusstlosigkeit der nie von Zweifel Angehauchten, ihr Suhlen in der Selbstzufriedenheit, Arm in Arm mit verwegen stolzer Selbstanerkennung.

Der Komponist ist der urbane Künstlertyp schlechthin, schon wegen seiner aufgezwungenen Nähe zu Aufführungsmöglichkeiten, denn was schon sind Noten auf Papier. Die urbs als Mittelpunkt. Doch die Sucht des Komponisten ist die Natur mit ihrer Unendlichkeit, ihrer Vielstimmigkeit, ihrer Möglichkeit, sich ins Behagen zu schwindeln. Eine Täuschung, der wir alle auf den Leim gehen. Doch eine schöne Täuschung, die uns den Alltag für kurz mit Zufriedenheit belehnen lässt. Möge uns die Täuschung nicht verlassen, auch dann nicht, wenn die Natur uns brutal an die Eingeweide geht zuzeiten.

Hat nicht jeder Städter das Bedürfnis nach Landurlaub, nach Flucht aus der Stadt? Dass jemand aufs Land fährt, ist nichts Außergewöhnliches. Was also ist außergewöhnlich daran, dass ein Komponist aufs Land zieht? Weil er nicht urlaubt, sondern arbeitet, sich aus seinen Zweifeln herausarbeitet, so weit, dass er sich seiner und seines Werkes sicher sein kann; bis zum nächsten Zweifel. Was noch ist außergewöhnlich? Dass es in unserm Buch Kärnten ist, das anzieht, und nicht das Salzkammergut, das notorische Aufmarschgebiet sowohl genialer als auch verblödeter Prominenz. Berg und Webern hatten familiäre Beziehungen zu Kärnten, Berg baut ein Haus, für Webern ist Klagenfurt eine Fluchtburg, wenn ihm die Welt auf den Kopf fällt, Wolf wurde hierher gesteckt für eine misslungene Zeit und hatte nichts mehr am Hut mit Kärnten dann. Mahler wollte an den Wörthersee und ließ die Schwester den Platz für sich suchen, und Brahms war eines Tages, eines für Kärnten wahrhaft schönen Tages, einfach da. Spuren legten sie alle und Spuren hinterließ das Land. Wenn der Wind durch den Wald pfeift, wenn Wellen sich kräuseln und plätschernd am Ufer auslaufen, wen bringt solche Idylle nicht dazu, der Schöpfung Dank zu sagen. Und nur der Komponist sagt ihn so, dass die Schöpfung ihn auch hören kann. Die Biegungen, und wohl auch Verbiegungen, der Komponistenseele im Hin und Her, und vor allem auch im Hin und Wider zwischen Stadt und Land, zerrissen zwischen den Süchten nach Betriebsamkeit von Opern- und Konzertgeschehen und Stille. Eine zerriebene Existenz.

Gustav Mahler, der extrovertierte Dirigent, war ein geradezu klaustrophobisch sich einigelnder Komponist. Die laute, geschäftige und auch bürokratischen Ballast auf ihn abladende Opern- und Konzertsaison sollte in Sommern totaler Konzentration sich auflösen, in ihnen aufgehen.

Zu Mahlers Besonderheiten, er hatte mehrere, gehörte das Einrichten von Komponierhäuschen, drei an der Zahl. Andere nisten sich ein für eine Weile, Mahler baut sich hinein ins Land. Eine Hüttenmanie. Mahler logiert komfortabel, er komponiert in Askese. Die komfortablen Quartiere ließ er links liegen, wenns ans Komponieren ging. In mönchische Zellen zog er sich zurück für die Arbeit, fern von Menschen. Die hat er als störend empfunden. Und der Mensch stört ja tatsächlich. Er ist der Saubär der Natur. Mahler flieht in den Wald. Die Geräusche der Natur sollten nicht zerstückkelt werden. Gerade das konnte der Mensch schon immer recht gut. Er zerredet die Natur, zerfleddert sie. Er findet sich nicht zurecht in ihr, findet sich kaum ab mit ihr, mit ihrer Überlegenheit, mischt sich also ein in Notwehr. Und da gibt es den Menschen, der dagegen anläuft. Er will sich hineinsetzen in die Natur als stiller Teilhaber, als Bewohner des großen Raumes. Er fängt das Klingen des Universums ein und stößt es wieder ab. So kommt auch der kleine Weltenmitläufer zum kosmischen Ton. Mahlers Symphonismus ist das ständige Heranholen des Himmels, eingeschlossen sein Hang zum Entsetzen, zu uns Menschlein. Hören müssten wir das halt. Und nicht Missverständnisse in die Welt setzen, wie unser Eigenbau Udo Jürgens es tat: »In Kärnten schreibe ich viel, es gibt hier ein Energiefeld, das Schaffensausbrüche provoziert. Das müssen schon lange vor meiner Zeit auch Gustav Mahler und Johannes Brahms gefühlt haben.« Das nenne ich Chuzpe. Man haut sich in einen Topf mit zwei Genies, und denkt, dass schon was abfallen wird für einen selbst beim gemeinsamen Sieden. Und allmählich wird man ebenbürtig. Denkste. So leicht und so schnell gibts kein Kollaborieren mit der Größe. Sie wehrt sich beizeiten. Sie hat zu viel hinterlassen in unserm Land, als dass man sich anschmeißen könnte an sie. Das sind feine, ferne Dinge, an die sollen nicht Schafsklauen greifen. Sagt Hölderlin. Oder doch so ähnlich.

Anton Fuchs, ein Liebender, hat die Spuren der Großen unter seine Füße genommen, ist gegangen in den Stapfen derer, die hier schufen. Wenn ein Liebender geht, sieht er alles und ist in der Lage, sein Sehen so mitzuteilen, dass man mitgeht und mitsieht.

Alexander Widner

Alban Berg um 1923

Alban Berg

Dem Jahr 2005 kommt gerade in bezug auf Alban Berg besondere Bedeutung zu, fällt doch auf den 9. Februar dieses Jahres der 120. Geburtstag und auf den 24. Dezember der 70. Todestag dieses Komponisten, der heute von den einen bereits zu den »Klassikern«, von der Mehrheit aber noch immer zu den »unverständlichen Radikalen« gezählt wird; eines Mannes, dessen Leben geprägt war von sensitiver Behutsamkeit auf der einen und von einem zähen, kompromißlosen Kampf um die Reinheit der Musik auf der anderen Seite.

Diese eigentümliche Mischung von Scheu und hohem geistigem Mut – die so manchen schöpferischen Menschen auszeichnet – hat sein Lehrer und Freund Arnold Schönberg zwei Jahre vor seinem Tod in Los Angeles mit den folgenden Worten beschrieben:

»Als Alban Berg im Jahre 1904 zu mir kam, war er ein hochaufgeschossener und äußerst schüchterner Junge. Aber als ich seine Kompositionen durchsah, die er mir vorlegte – Lieder in einem zwischen Hugo Wolf und Brahms schwankenden Stil –, erkannte ich sofort, daß er eine echte Begabung hatte. Darum nahm ich ihn als Schüler an, obwohl er damals außerstande war, das Stundenhonorar zu zahlen. Später machte seine Mutter eine große Erbschaft und erklärte Alban, daß er – da sie nun zu Geld gekommen wären – das Konservatorium besuchen könne. Man hat mir erzählt, Alban wäre so außer sich über diese Zumutung gewesen, daß er in Tränen ausbrach und sich erst beruhigen wollte, als seine Mutter ihm gestattete, sein Studium bei mir fortzusetzen.

Er hielt immer getreu zu mir und hat mir diese Treue sein ganzes kurzes Leben hindurch bewahrt. Warum habe ich diese Geschichte erzählt? – Weil ich höchst überrascht war, als dieser sanftmütige, schüchterne junge Mann den Mut hatte, sich auf ein Unternehmen einzulassen, das zum Scheitern verurteilt schien: ›Wozzeck‹ zu komponieren, ein Drama von so außerordentlicher Tragik, das Musik auszuschließen schien. Und mehr noch: Es enthielt Szenen des täglichen Lebens, die unvereinbar waren mit dem Begriff Oper, die immer noch von stilisierten Kostümen und typischen Charakteren lebte. Das Unternehmen glückte. ›Wozzeck‹ war einer der größten Opernerfolge.

Und warum? Weil Berg, der schüchterne junge Mann, ein starker Charakter war, der seinen Ideen die Treue hielt, genau wie er mir die Treue hielt ... Es ist das Zeichen der großen Persönlichkeit, den Glauben an seine Ideen zur eigenen schicksalhaften Bestimmung zu erheben.«

Diesem präzisen, über ein halbes Jahrhundert alten Zeugnisse des Lehrers, Freundes und Mitstreiters Arnold Schönberg seien hier noch die Urteile einiger anderer bekannter Musiker hinzugefügt.

So schreibt etwa der Schweizer Dirigent Ernest Ansermet in seinem »Journal de Genève«: »Er war eine Gestalt von seltener Vornehmheit, seltener Erlesenheit, ein Grandseigneur unserer Kunst – unter so vielen Technikern ein Mensch von naturgebundener Wesenheit und unter den Komponisten von heute wohl der echteste Musiker.«

Und Theodor W. Adorno – selbst einst einer von den Schülern Alban Bergs – sagte in seiner Rede über die Oper »Lulu«: »Keine andere Musik aus unserer Zeit ist so menschlich wie die von Berg, und davor erschrecke die Menschen.«

Der bekannte Geiger Yehudi Menuhin schrieb in einem Brief: »Alban Berg stellt meines Erachtens eine musikalische Parallele zum Kubismus dar: das einzigartige Phänomen eines tief romantischen Menschen – anspruchsvoll und nachsichtig zugleich, wie die ganze Wiener gesellschaftliche Tradition ...«

In einem anderen Brief – von Gustav Rudolf Sellner – heißt es: »Das Wunder der beiden Opern Alban Bergs liegt in ihrer revolutionären Kompromißlosigkeit, verbunden mit einer menschlichen Wärme ohnegleichen. Undogmatisch, frei von jeder Ideologie, fern jeder Askese strömt ihre Musik mit einer Fülle, die sich bis ins Rauschhafte steigern kann, in bestürzender Gewalt – und bleibt dennoch in strengen Formen gebändigt ...«

Es gäbe noch viele Zeugnisse berühmter Komponisten, Dirigenten, Sänger, aber auch Musiktheoretiker hinzuzufügen, wie etwa die von Igor Strawinski, Ernst Křenek, Luigi Dallapiccola, Pierre Boulez, Dietrich Fischer-Dieskau u. a. m. aus allen Teilen der Welt.

Das »Waldhaus« in Auen bei Velden am Wörther See

Aber diese Abhandlung soll sich ja vornehmlich mit den Beziehungen Alban Bergs zu Kärnten beschäftigen. Und so liegt es nahe, einen bekannten, liebenswerten Künstler aus Kärnten zu erwähnen: den am 1. Oktober 1973 verstorbenen Dichter und Komponisten, Literatur- und Musikkritiker Professor Herbert Strutz, der am 15. Jänner 1923, als 21jähriger Mann, in seinem Tagebuch notierte: »Die Stunden bei Alban Berg sind das Idealste, was man sich vorstellen kann. Ein wirklich großer Mensch und Künstler, der zur Größe erzieht. Sein Können ist unbeschreiblich, vorbildlich, sein Geist elementar und überwältigend. Er hält mich weit über die bestimmte Zeit zurück und spricht mit mir über alles wie zu einem seinesgleichen. Wir gehen auch manchmal nach dem Unterricht gemeinsam in den Schönbrunner Schloßpark spazieren. Er hält sehr viel von mir, und das macht mich überaus glücklich. Ein reizender, vornehmer Mensch. Ich besitze seine Jugenddichtung ›Hanna‹ im Manuskript ... «

Diese wenigen Sätze kommen aus unmittelbarer Anschauung und sind daher voll dichten Lebens. Wir spüren aus ihnen die Größe und Begeisterungsfähigkeit sowohl des »Schreibers« und Schülers als auch dessen, der hier beschrieben wird: also des Lehrers und Meisters. Wie denn überhaupt diese handgeschriebenen Tagebücher und Notizen sowie die Korrespondenz, in die mich die verehrte Witwe des Professors Herbert Strutz Einsicht nehmen ließ, besten Aufschluß über die Beziehungen dieser beiden Männer wie auch über die Liebe Alban Bergs zu unserem Bundesland geben. Hiezu kommen die bekannten Bücher des Dichters über Kärnten, vor allem der Band »Kärnten auf vielen Wegen«, aus dem wir in der Folge noch einiges zitieren werden.

Den tiefsten Einblick in das Wesen Alban Bergs – in seine private Sphäre, in seinen Alltag also – bekommt man freilich durch seine Frau und Witwe Helene Berg oder, wie sie sich zu unterschreiben pflegte: Helene Alban Berg. Sie wohnte in Wien XIII., Trauttmannsdorffgasse 27; in jenem lichten Nobelbezirk, in dessen alter Kirche sie am 3. Mai 1911 ihren Mann geheiratet hatte und auf dessen Friedhof er begraben wurde.

Sie war eine Dame von ungemein hoheitsvoller Erscheinung mit einem eindrucksvollen Gesicht von noch immer faszinierender Schönheit. Ihre Stimme war klar, ihre Ausdrucksweise lebhaft und voll Charme. Ihr Erinnerungsvermögen erstaunlich.

Das Zimmer, in welchem sie – in einer Art von hohem Regentenstuhl – ihre Gäste empfing, war einer jener typischen Räume, wie sie Künstler und Intellektuelle in den zwanziger und dreißiger Jahren einzurichten pflegten: mit umfangreicher Bibliothek in hohen, schwarzen Bücherkästen, einem Klavier, vielen Erinnerungsstücken, Bildern und gerahmten Fotografien an den Wänden.

Hier lebte Helene Berg ganz dem Andenken ihres Mannes, des »Meisters«, wie sie ihn im Gespräch oft zu nennen pflegte. Es war, als wäre die Zeit seit dem 24. Dezember 1935, jenem Tag, an dem er, kurz nach ein Uhr morgens, ihn ihren Armen gestorben war, für sie stehen geblieben. Offenbar hatte sie seither auch kaum etwas an der Einrichtung ihrer Wohnung verändert, zumindest nicht an deren Arbeitsraum, den Herbert Strutz zum ersten Mal betreten und am 25. Oktober 1922 in seinem Tagebuch so beschrieben hat, wie wir ihn heute noch sehen können; freilich unter Hinzufügung einiger interessanter Einzelheiten, wie das fast lebensgroße, von Arnold Schönberg gemalte Portrait Alban Bergs oder die vielen Bilder von Peter Altenberg, Adolf Loos und Karl Kraus, und schließlich Gustav Mahlers erster, auf einem Klosettpapier skizzierter Entwurf zu »Alles Vergäng-

Helene Berg

liche ist nur ein Gleichnis«, der in einem kleinen goldenen Rahmen an einer der Wände hing.

Ja, die Zeit schien hier, nach jenem Heiligen Abend 1935, tatsächlich stehengeblieben zu sein. Umso getreuer hatte Alban Bergs Witwe aus den arbeits- und ereignisreichen Jahren davor einen kostbaren Schatz an Erinnerungen in unsere Zeit herüber gerettet. Sie entsann sich winziger Details und wußte darüber so fesselnd zu berichten, daß man ihr gefesselt zuhörte.

Alban Berg, am 9. Februar 1885 in Wien geboren, fühlte sich zeitlebens eng jener spezifisch österreichischen Atmosphäre verbunden. Er schätzte dieses Land, seine alte Tradition, seine Einwohner, ihre Höflichkeit und ihre sensitiv-skeptische Grundstimmung.

Wie jeder Wiener – von jenem Schlag, den man in unseren Bundesländern offenbar noch immer nicht kennt oder einfach nicht zur Kenntnis nehmen will – war er ein nobler Mann von Welt, der seine Vaterstadt liebte und zwischendurch auch haßte; freilich mit gewissen Einschränkungen, wie wir aus einem undatierten Brief an seinen Freund und Kollegen Anton von Webern erfahren:

»... Ebenso darfst Du, wenn ich über Wien klage, mir nicht zutrauen, daß ich es darum tue, weil es heut modern ist, über Wien zu schimpfen. Wenn ich klage ... so weiß ich immer, daß ich in einer anderen Stadt noch viel unglücklicher wäre und mich gewiß nach Wien sehnen würde. Nur momentan ist mir der Begriff Großstadt so schrecklich, daß ich einerseits über jede Großstadt schimpfen würde, wo ich bin. Andererseits von ihr eben das Letzte und Vollkommenste verlange ... Ich fühle mich nirgends glücklicher als dort, wo von all dem keine Rede ist – am Land! Aber Landbewohner in der Großstadt zu sein, fällt mir schwer!«

So zieht durch sein Leben der ständige Konflikt zwischen Stadt und Land. Denn als schöpferischer Künstler brauchte er einerseits die anregende geistige Atmosphäre der Großstädte mit ihren zahllosen Möglichkeiten zum Besuch von Ausstellungen, Museen, Konzerten und Vorträgen. Brauchte die ihn zwar befriedigende, jedoch anstrengende Arbeit mit seinen Schülern, zu denen, unter anderen, Hans Heinrich Apostel, Bruno Seidelhofer, Willi Reich und Theodor W. Adorno gehörten. Brauchte vor allem aber die gegenseitig befruchtenden Gespräche mit Kollegen und Freunden, wie etwa den Komponisten Arnold Schönberg, Anton von Webern, Alexander Zemlinsky, Gian Francesco Malipiero, Egon Wellesz; den Pianisten Eduard Steuermann, Rudolf Serkin und Eduard Erdmann; den Dirigenten Hermann Scherchen und Erich Kleiber, der am 14. Dezember 1925 in Berlin die denkwürdige Uraufführung der Oper »Wozzeck« leitete; dem Architekten Adolf Loos; den Schriftstellern Karl Kraus, Franz Werfel, Gerhart Hauptmann und dem Dichter Peter Altenberg, mit dem Alban Berg ein inniges Verhältnis zur Natur verband, eine tiefe seelische Verwandtschaft, die ihn anregte, einige von dessen Texten zu Liedern zu vertonen.

Bedurfte er also auf der einen Seite eines gleichsam dichteren Lebens und all jener anregenden Wirkungen, wie sie eben nur eine Großstadt zu vermitteln vermag, so flüchtete er doch andererseits immer wieder aufs Land, um sich hier, in Stille, Abgeschiedenheit und ohne Ablenkung, ganz seiner schöpferischen Tätigkeit, dem Komponieren, widmen zu können und in den Schaffenspausen mit seiner Frau oder allein weite Spaziergänge zu unternehmen.

»Aufs Land« aber bedeutete für Alban Berg, entweder auf das Gut seiner Schwiegereltern in Trahütten am Fuße der Koralpe bei Deutsch-Landsberg in der Steiermark oder – noch lieber und häufiger – nach Kärnten zu fahren. Denn gerade diesem südlichsten Bundesland fühlte er sich seit jeher am innigsten verbunden.

Schon als Kind verbrachte er mit seinen Eltern und seinen drei Geschwistern – den beiden älteren Brüdern Charley und Hermann und der jüngeren Schwester Smaragda – die Ferien im »Berghof«, dem Familienbesitz am Ossiacher See. Hier wurde, ebenso wie in Wien, im Kreise der Geschwister viel musiziert. Denn der Bruder Charley hatte eine ausgebildete Stimme, und die Schwester begleitete ihn am Klavier. Und hier entstanden die ersten rund 140 Lieder des 14 und 15 Jahre jungen Alban, die allerdings bis heute noch nicht veröffentlicht wurden. Von hier aus unternahm die Familie aber auch Ausflüge in die nahe und weitere Umgebung, die sich tief in Albans empfängliches Gemüt eingeprägt haben. So erinnert sich der Dreißigjährige in einem Brief an Anton von Webern noch sehr lebhaft an eine Fahrt nach Bleiberg:

»... Das mit dem Bergwerk hat für mich ungeheuren Reiz. Erzähle mir davon. Ist das was Großes, wo man stundenlang unter der Erde in verzweigten Gängen gehen kann? Ich war einmal im Bleiberger Bergwerk, das hat mir einen solchen Eindruck gemacht, daß ich ein ganzes Bergwerkdrama geschrieben hab ... Bevor ich komponierte, wollte ich überhaupt Dichter werden ... «

Wir ersehen aus diesem Zitat, daß Alban Berg keines von jenen musikalischen Wunderkindern war. Vielmehr schwankte er lange, ein »Tastender! Nichts findender Sucher!« – wie er von sich selbst behauptete, als er im Jahre 1903 bei der Matura versagte; und zwar paradoxerweise im deutschen Aufsatz. Denn gerade er, der ungemein viel las, sollte später zu einem glänzenden Stilisten werden. Als er, ein Jahr später, die Matura bestanden hatte, zog er sich für eine Weile nach Kärnten auf den »Berghof« zurück. »Ich fühle«, schreibt er, »die Sehnsucht nach den höchsten Spitzen der Schneeberge – nach klarer Eisesluft – dort wo man das Gefühl hat, man brächte keine Lüge über die Lippen ...«, und er genoß diese langen Ferien, vor allem deren erste Tage: »... ausgesprochenes Nichtstun: fleißig baden ... Gesicht und Hände bräunen, essen und trinken. Goethes Brief an Frau von Stein fortgesetzt. – Moderne deutsche Lyrik studiert (was recht unterhaltsam ist) ...«

Im Herbst des gleichen Jahres trat er, zunächst unbesoldet, als Rechnungspraktikant in den Dienst der Niederösterreichischen Stadthalterei, um sich, auf Wunsch seiner Mutter, auf eine gesicherte k. k. Beamtenlaufbahn vorzubereiten. Ein Beruf, zu dem er gewiß nicht geboren war, zu dem ihn vielmehr die bedrängende wirtschaftliche Lage der Familie – nach des Vaters frühem Tod im März 1900 – zwang. Aber im gleichen Jahr fand auch jene für seine Entwicklung so entscheidende Wende statt, indem er – übrigens auf Initiative seines Bruders Charley – Arnold Schönberg kennenlernte. Er wurde für ihn jenes große Urbild des Meisters, Lehrers und Freundes, dessen die meisten Künstler in ihrer Jugend bedürfen, um ihren eigenen Weg zu finden.

Schönberg unterrichtete ihn zunächst kostenlos. Bis eine Erbschaft Alban Berg von dieser Belastung befreite. In all der Zeit begann sich sein Stil zu festigen. Zahlreiche Lieder nach Texten deutscher Dichter, wie etwa Rilke, Storm, Gerhart Hauptmann, Lenau, Hebel u. v. a., entstanden. Dazu eine Fuge für Streichquintett und Klavier, Zwölf Klaviervariationen über ein eigenes Thema, die Sonate für Klavier op.1, Vier Lieder für eine Singstimme mit Klavier op. 2, das Streichquartett op. 3 und Fünf Orchesterlieder nach Ansichtskartentexten von Peter Altenberg op. 4.

1910 war diese Periode der strengen Lehre, die sechs Jahre gedauert hatte, zu Ende. Die Freundschaft dieser beiden Männer aber blieb, abgesehen von vereinzelten Trübungen, erhalten, ebenso wie jene mit Anton von Webern.

Unterdessen hatte Alban Berg Helene Nahowski, seine spätere Frau, kennengelernt. Bezeichnenderweise fand ihre erste Begegnung auf der Galerie der Oper in Wien statt, wo beide sozusagen zum Stammpublikum gehörten. Man hegt in unserem rationalen und rasanten Zeitalter eine gewisse Scheu vor dem Begriff »große Liebe«. Hier aber ist er durchaus angebracht. Dafür sprechen sowohl die Zeugnisse Helenes wie auch die 569 veröffentlichten Briefe Alban Bergs, ein ungemein persönliches, für die Kenntnis des Menschen und Künstlers gleichermaßen wesentliches Dokument.

Es versteht sich, daß der gutbürgerliche und wohlhabende Vater dieses Mädchens zunächst gegen eine Ehe »mit einer so fragwürdigen Existenz ... nicht einmal eine fixe Anstellung« sich mit aller Energie stemmte. Es versteht sich aber auch, daß Alban Berg, der so viele Kräfte in sich fühlte, den Hinweis seines künftigen Schwiegervaters, der Bräutigam von Helenes Schwester besitze eine Fabrik, mit den bitteren Worten zurückwies: »Ich habe meine mit den neuesten Errungenschaften und der größten Leistungsfähigkeit versehene Fabrik in meinem Kopf.« Eine ähnlich stolze Reaktion ist uns von Beethoven erhalten, der die Unterschrift seines anmaßenden Bruders: »Nikolaus Johann, Gutsbesitzer« mit den Worten: »Ludwig van Beethoven, Hirnbesitzer« parierte.

Die Ehe kam dennoch zustande; freilich unter der vom Schwiegervater gestellten Bedingung, daß die beiden konvertieren und sich protestantisch trauen lassen mußten, damit die Möglichkeit einer Scheidung offen blieb.

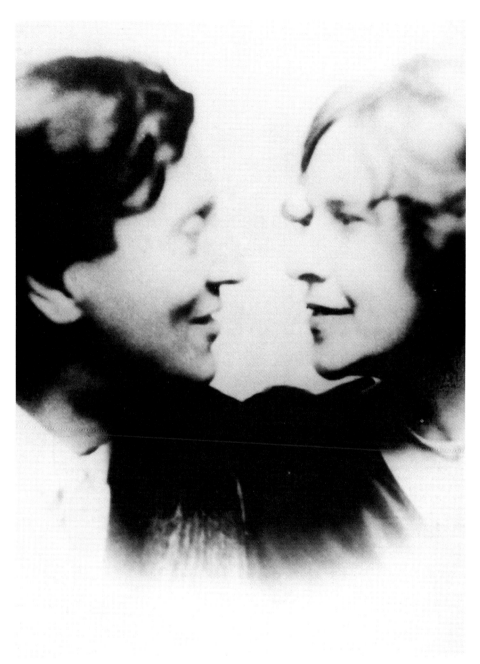

Alban und Helene Berg

Partiturseite aus der Oper »Lulu«

Nachdem aber Nahowski im Lauf der Jahre seinen Schwiegersohn immer lieber gewonnen hatte, wurde die am 3. Mai 1911 erfolgte protestantische Eheschließung im Jahre 1915 nach katholischem Ritus wiederholt.

Es waren Jahre intensiven Schaffens. Auf die Altenberg-Lieder folgten die vier Stücke für Klarinette und Klavier op. 5, drei Orchesterstücke für großes Orchester op. 6 und endlich die große Oper »Wozzeck« in drei Akten nach dem Drama »Woyzeck« von Georg Büchner. Der erste Plan zu diesem ungeheuren, selbst seinen Lehrer Arnold Schönberg befremdenden Vorhaben tauchte bereits im Mai 1914 auf. Die Texteinrichtung beendete er im Sommer 1917, und unmittelbar danach begann er mit der Komposition, die er 1920 zum Teil und deren letzte Instrumentierung er im April 1922 abschloß.

Dieses strenge, ungemein differenzierte, zugleich revolutionäre und doch aus tiefer Tradition entstandene Werk trat nun einen Siegeszug an, von dem Alban Berg selbst in seinen kühnsten Träumen nichts geahnt hatte. Wir erwähnten bereits die Uraufführung am 14. Dezember 1925 an der Berliner Staatsoper unter deren Generalmusikdirektor Erich Kleiber, der sich zur Annahme dieser Oper entschlossen hatte, »und wenn es mich meine Stellung kostet!«

Es folgten Aufführungen in anderen deutschen Städten. Dann in Prag, in Leningrad, in Wien, Zürich, Brüssel, London, New York ... Ja, in Philadelphia brachten eigene Sonderzüge, deren Lokomotiven mit der Aufschrift »Wozzeck« versehen und mit Blumen und Fahnen geschmückt waren, die Zuhörer zur aufsehenerregenden Aufführung unter Leopold Stokowsky im Jahre 1931.

Bei vielen dieser ersten Aufführungen war Alban Berg selbst zugegen und hielt seinen faszinierenden, ursprünglich für die Neueinstudierung der Oper in Oldenburg im Jahre 1929 verfaßten »Wozzeck-Vortrag«. Und manche dieser Aufführungen wurde zunächst noch konzertant veranstaltet. Heute aber zählt dieses Werk zu den wenigen nach 1918 uraufgeführten Opern, die zum sicheren Bestand des internationalen Opernspielplans in allen Kontinenten geworden sind.

Den ersten Triumphen folgten naturgemäß die ersten Ehrungen. So wurde Alban Berg am 30. Jänner 1930 zum Mitglied der Preußischen Akademie der Künste ernannt. Im selben Jahr wurde ihm der Preis der Stadt Wien verliehen. Nicht ohne Ironie und leise Bitterkeit über solche Auszeichnungen schreibt er seinem Freund Anton von Webern in einem Brief vom 10. Februar 1930:

»... Dank Dir auch für Deine Glückwünsche zum ›Akademiker‹. Wie es

Alban Berg. Portrait von Arnold J. Clementschitsch

kam, weiß ich selbst nicht, ich erfuhr's aus der Zeitung bzw. von Paul Stefan, der es in der Zeitung gelesen hatte. Eine Berufung ist damit nicht verbunden. Trotzdem habe ich mich sehr darüber gefreut, besonders wegen Wien, d. h. Österreich, das uns ja bekanntlich seit Jahren mit Ehrungen und Stellungen überhäuft ...« Kurzum, Alban Berg wurde endlich »entdeckt«, indes er sich – wie es sich bei jedem intensiv schöpferischen Menschen zu verhalten pflegt – schon längst in neue Bereiche seiner Kunst begeben hatte.

So schloß er 1925 sein »Kammerkonzert für Klavier und Geige mit dreizehn Bläsern« ab und die zweite Fassung des Liedes »Schließe mir die Augen beide« nach einem Gedicht von Theodor Storm. (Die erste Fassung wurde 1909 komponiert.) Im gleichen Jahr entstand die »Lyrische Suite«, 1929 »Le Vin / Der Wein«, jene berühmte, für die Wiener Sängerin Ružena Herlinger geschaffene Konzertarie mit Orchester nach einem Gedicht von Baudelaire in der deutschen Übertragung von Stefan George; und ein Jahr später ein vierstimmiger Kanon, dessen Uraufführung am 1. Februar in Frankfurt am Main stattfand.

Es war dies eine Reihe subtiler, in gleichem Maße tief empfundener wie feinst geschliffener musikalischer Edelsteine, die bis heute nichts an Originalität verloren haben.

In all dieser Zeit aber beschäftigten Alban Berg, zunächst noch untergründig, die Tragödien »Erdgeist« und »Die Büchse der Pandora« von Frank Wedekind. Beide Stücke – vor allem das zweite, zu dem übrigens Karl Kraus bei der von ihm persönlich veranstalteten Premiere in Wien am 29. Mai 1905 einen einleitenden Vortrag hielt – erregten Anstoß bei der öffentlichen Moral, obglcich ihr Verfasser in nicht weniger als drei Prozessen vom Vorwurf der Unsittlichkeit freigesprochen worden war. Den damals zwanzigjährigen Alban Berg, der dieser denkwürdigen Premiere beigewohnt hatte, bei der Mathilde Newese (die spätere Frau Frank Wedekinds) sowie Egon Friedell und Adele Sandrock mitwirkten, ließ dieser Stoff seither nicht mehr los. Bis er sich im Frühjahr 1928 entschloß, ihn zu vertonen.

Es war keine leichte Aufgabe, sowohl musikalisch als auch vom dramaturgischen Aufbau her; galt es doch, aus zwei in sich geschlossenen Stücke – das erste: vier, das zweite: drei Akte – ein neues Stück von drei Akten zu bauen, das wiederum in sich geschlossen sein sollte. Alban Berg löste diese Aufgabe mit sicherem Griff. Die daraus geformte neue Oper mit dem Titel »Lulu« entstand, ebenso wie sein letztes Werk, das große »Violinkonzert – Postludium in Excelsis«, ausschließlich in Kärnten in seinem geliebten

»Waldhaus« am südlichen Ufer des Wörther Sees, ehe er am 12. November 1935, todkrank, nach Wien zurückkehrte, wo er kaum anderthalb Monate danach starb.

Bevor wir das »Waldhaus« besuchen, wollen wir noch einmal darauf hinweisen, wie innig ihr Schöpfer – dieser noble, ungewöhnlich hochgewachsene Mann, von dem Hans W. Heinsheimer von der Universal-Edition einmal meinte, er habe sich stets »etwas nach vorn geneigt gehalten, als wolle er sich auf elegante und bescheidene Weise seiner Umwelt gegenüber verbeugen« – mit Kärnten verbunden war, und wie er und seine Frau in den Besitz ihres »Waldhauses« kamen.

Wie schon erwähnt, hatte Alban Berg seit seiner Kindheit die Ferien und später auch seine Urlaube auf dem »Berghof«, dem Familienbesitz seiner Eltern am Ossiacher See, verbracht. Ja, selbst in den Kriegsjahren, in denen er zunächst in Ungarn seinen Dienst versah, bald aber wegen seines hartnäckigen Asthmaleidens (das ihn übrigens schon seit seinem fünfzehnten Lebensjahr heimsuchte) ins Kriegsministerium nach Wien versetzt wurde, selbst in jenen wirren Jahren, in denen er mancherlei Erfahrung für seinen »Wozzeck« sammeln konnte, flüchtete er, wenn sich die Gelegenheit bot, an seinen vertrauten Ossiacher See. Und als der Krieg zu Ende war, sah er sich sogar genötigt, den »Berghof« zwei Jahre lang selbst zu bewirtschaften – bis dieser Besitz nicht mehr zu halten war, im Jahre 1921 verkauft werden und man für die Urlaube in einer benachbarten Fabrik ein Quartier suchen mußte und auch fand. Freilich, man war nun nicht mehr Herr im eigenen Haus, und so verbrachte man die Sommermonate wieder häufiger in Trahütten in der Steiermark. Als aber der »Wozzeck« zu einem so unerwartet großen Erfolg wurde – und zwar auch in finanzieller Hinsicht –, sah sich Alban Berg mit einem Mal in der Lage, seinen alten Traum zu erfüllen und ein eigenes Haus in Kärnten zu erwerben.

Es war das »Waldhaus«, eine in jenen Tagen ziemlich verwahrloste Villa ländlichen Stils, die dem Ehepaar Berg bei einer Versteigerung im Jahre 1932 zugesprochen wurde und ab dem Jahre 1933 zum ständigen Aufenthalt für Alban Berg werden sollte.

Es liegt in Auen am Südufer des Wörther Sees, schon weit gegen Velden zu, auf einem kleinen, bewaldeten Hügel, schräg gegenüber der Ortschaft Saag. Das Ufer wölbt sich hier ein wenig vor, »wodurch«, wie Herbert Strutz diese Gegend beschreibt, »jenseits der Uferstraße dem Besitz ein kleiner

Badeplatz im Schatten einer Birke und einiger Fichten gewonnen ist. Das im Stil eines Landhauses des vorigen Jahrhunderts erbaute Haus steht also nahe der Straße, gegen die es aber der erhöhte Standort und ein dichter Busch- und Baumkranz abschirmt, während sich ihm hanghin eine sanft ansteigende Wiese vorlagert. Ein haselgesäumter Weg strebt vom benachbarten ›Paulinenheim‹ dem Haus zu und weiter bergan, vorbei an dem versteckten, zum Teil von einem offenen Holzgang im Obergeschoß gesäumten und von dichten Blätterranken umsponnenen Tuskulum, aus dem die Fenster von Bergs Arbeitszimmer nach Nordwest schauen. Der Eingang in das Haus befindet sich aber an der Südseite. Dort führt eine Holztreppe aus einem geräumigen Vorhaus in den Oberstock. Die Stiege begleiten etliche phantasievolle, im Stil der Sezession gezeichnete und gemalte Bilder von Bergs Schwager Nahowski. Und dann öffnet sich die Tür in den Arbeitsraum: hier steht der Flügel des Komponisten unter einer großen Reproduktion von Michelangelos ›Erschaffung des Menschen‹ und blickt Arnold Schönberg, der Lehrer Bergs, aus einem kleinen Bildchen von der Wand.«

»In diesem Zimmer«, fährt Herbert Strutz fort, »erklang erstmals, was Berg in seinen letzten Lebensjahren schuf. Mir ist sonderbar zumute, da ich es betrete, und es drängt mich seltsam, meine Hand auf das verstummte Klavier zu legen und dies und das zu berühren: die Totenmaske, die Gustav Mahlers Tochter Anna dem Verstorbenen abnahm, sowie Noten und Bücher ... «

Es hat sich nicht viel verändert seit jenen Tagen, an welchen Herbert Strutz dieses Haus seines einstigen Lehrers und seine Umgebung in den eben zitierten Sätzen beschrieben hat. Die Bäume sind höher geworden, die Sträucher dichter, da und dort auch gerodet. Der Verkehr auf der Straße, die ein wenig tiefer liegt, hat zugenommen. Und die Inschrift »Waldhaus am See« ist seither wohl noch ein wenig mehr verblaßt.

Blickt man aber von diesem stillen Flecken am Südufer über den Wörther See nach Norden, wie es Alban Berg oft getan haben mag – sei es nun aus dem Fenster seines Arbeitszimmers oder auf einem seiner Spaziergänge –, so fällt einem ein anderer Absatz aus dem gleichen Buch von Herbert Strutz ein:

»Wahrhaftig, es ist ein unwahrscheinlich schönes Bild, eine Landschaft, deren Harmonie den Menschen zutiefst in seine eigenen Seelengründe hineinführt. Und so mag es nicht nur einem Zufall zu danken sein, daß sich zwei der bedeutendsten österreichischen Komponisten der ersten Hälfte unseres Jahrhunderts am Südufer des Wörther Sees ansiedelten: Gustav Mahler in Maiernigg und Alban Berg, der im Herbst 1932 in Auen bei Velden das ›Waldhaus am See‹ erwarb. Er arbeitete dort alljährlich vom Frühling bis zum Herbst an seiner Oper ›Lulu‹, verbrachte hier auch den Winter 1933/34 und komponierte im ›Waldhaus‹ vom Februar bis zum August 1935 das ›Dem Andenken eines Engels‹ gewidmete Violinkonzert, zu dem ihm eine Anregung des amerikanischen Geigers Louis Krasner äußerer Anlaß, jedoch der ihn zutiefst ergreifende Tod der achtzehnjährigen Manon Gropius innerer Antrieb war.«

Alban Berg arbeitete an diesen beiden letzten Werken mit einer geradezu besessenen Schaffenskraft, die sich – wie man es bei Künstlern zuweilen antrifft – in einem seltsamen Widerspruch zur rapiden Abnahme seiner körperlichen Vitalität verhielt. Auch erfüllte ihn die politische Entwicklung in Deutschland mit wachsender Sorge. Denn unter einem Hitler war für eine Musik, wie er sie aus innerstem Antrieb komponieren mußte, kein Platz. Zudem war Arnold Schönberg im Oktober 1933 in die Vereinigten Staaten ausgewandert. Er sollte weder Alban Berg noch Anton von Webern wiedersehen.

Unter solch bedrückenden Umständen schöpferisch zu arbeiten, fiel gewiß nicht leicht. Aber Alban Berg meisterte diese Lage. Denn er war – wie wir eingangs von Arnold Schönberg erfuhren – »ein starker Charakter, der seinen Ideen die Treue hielt ...«, und, wie es am Ende dieses Zeugnisses heißt, »es ist das Zeichen der großen Persönlichkeit, den Glauben an seine Ideen zur eigenen schicksalhaften Bestimmung zu erheben«.

Andererseits waren die äußeren Umstände ja gar nicht so ungünstig. Fern von der Turbulenz der Großstadt, entbunden von der Pflicht, Schüler zu unterrichten, ohne sonderliche Ablenkung, nur selten Besuche, allein mit seinem Werk und seiner Frau, mit der er so manche Passage vierhändig am Klavier gleichsam erprobe ... Hier ließ es sich gut leben und gut arbeiten; in dieser Landschaft, die ihm von Kind an vertraut war und die auf musikalische Gemüter offenbar eine befruchtende Wirkung ausübt. Denn nicht nur Alban Berg und Gustav Mahler haben sich hier niedergelassen, sondern auch, über ein halbes Jahrhundert zuvor, der große norddeutsche Komponist Johannes Brahms, der diese Gegend den »Eingang zum Schönsten und Großartigsten« nennt und in einem Brief berichtet: »Erzählen will ich, daß ich hier in Pörtschach am See ausstieg mit der Absicht, den nächsten Tag nach Wien zufahren. Doch der erste Tag war so schön, daß ich den

Totenmaske von Alban Berg

zweiten durchaus bleiben mußte, der zweite aber so schön, daß ich fürs erste weiter bleibe ... ja, der Wörther See ist ein jungfräulicher Boden, da fliegen die Melodien, daß man sich hüten muß, keine zu treten ...«

Alban Bergs Tageslauf begann, auch wenn es am Abend zuvor spät geworden war, pünktlich um halb acht mit dem Frühstück im Bett, einer für ihn »sakralen Handlung«. Dann Komponieren am Klavier bis mittag. Baden im See. Mittagessen und eine Stunde Ruhe, ehe er weiterarbeitete. Am späteren Nachmittag unternahm man gewöhnlich Wanderungen oder Spazierfahrten im geliebten englischen Kabriolett, von dem er sagte: »Mein Ford ist sehr brav, ich hoffe als Fahrer bald seiner würdig zu werden.« Obgleich er die Fahrprüfung bestanden hatte, ließ er doch gerne seine Frau ans Steuer, saß neben ihr, den Notizblock auf den hohen Knien, blickte um sich und – komponierte.

Die Arbeit ging ihm rasch und leicht von der Hand. Die unvollendete »Lulu« und sein »Violinkonzert« wurden seine reifsten Werke.

Es gäbe noch viel über ihn zu berichten: Über seinen Charme, sein spöttisches Lächeln, seine Fußballeidenschaft, die man gut versteht, lebte er doch in einer Zeit des österreichischen »Wunderteams«, seine starke Beziehung zur Natur, die wir so eindringlich im »Wozzeck« in der Szene am Teich spüren. Wie so viele Komponisten war er ein großer Vogelfreund. An einem Fenster seines »Waldhauses« hatte er ein Vogelbuffet eingerichtet und fütterte jeden Morgen seine Vögel mit Polenta.

Er war ein gläubiger Katholik, ein toleranter, allem Echten aufgeschlossener Mann, ein treuer Freund. Und er hat drei Menschen das Leben gerettet. Über einen dieser »Fälle« berichtete die »Berliner Morgenpost« am 11. Dezember 1925, also drei Tage vor der Uraufführung seines »Wozzeck« unter Erich Kleiber.

Wie bereits erwähnt, war er ein glänzender Stilist. Seine Briefe und seine in Zeitschriften abgedruckten Analysen sind wertvolle Dokumente zur Entwicklungsgeschichte der Musik. Übrigens entstand die Oper »Lulu« aus einem jener sogenannten Zufälle, dem wir so manches große Kunstwerk zu verdanken haben. Ursprünglich wollte Alban Berg ja Gerhart Hauptmanns »Und Pipa tanzt« vertonen. Er hatte sich bereits eine Okarina angeschafft sowie eine Anleitung, sie zu spielen, und hatte das Szenarium zurechtgelegt. Doch scheiterte sein Vorhaben an den Bedingungen des S. Fischer Verlages. Gerhart Hauptmann, den er später kennenlernte, hat zutiefst bedauert, daß »seine Pipa« nicht von Berg vertont wurde. Denn er »hätte das mit dem Fischer-Verlag schon ins reine gebracht«.

Bemerkenswert ist es auch zu erfahren, daß Alban Berg in Kärnten porträtiert wurde; und zwar von Emanuel Fohn und, zweimal, von dem großen alten Maler, Lehrer und expressionistischen Lyriker Arnold J. Clementschitsch.

Für die junge Generation von Komponisten und Musikhistorikern aber hat Helene Berg 1955 die »Alban-Berg-Stiftung« gegründet, zu der 1969 in Brüssel noch ein »Alban-Berg-Seminar« hinzukam. Beide Institutionen sollen, lediglich aus Tantiemen finanziert, der Pflege seines Werkes und seines Nachlasses dienen.

Ein nobles Vermächtnis, für das die Musiker von heute und morgen Frau Helene Berg ebenso Dank schulden wie ich persönlich für die vielen Einzelheiten über Alban Bergs Leben, die ich durch sie erfahren habe. Mein Dank gilt aber auch Willi Reich und Hans Ferdinand Redlich, den beiden bekanntesten Biografen, sowie Volker Scherliess, dessen ausgezeichnete rororo-Monographie über Alban Berg mir ganz besonders wertvolle Dienste leistete.

Als Herbert Strutz sein erstes Buch veröffentlicht und an Alban Berg geschickt hatte, schrieb ihm dieser am 11. April 1931:

»Lieber Herbert Strutz. Ihr Buch hat mir viel Freude gemacht. Offen gesagt, ich habe Ihnen das gar nicht zugemutet. Allerdings habe ich Ihre literarische Entwicklung ja nur lückenhaft verfolgen können ... und so erklärt sich meine Verwunderung, daß Sie plötzlich so viel und auf so hohes Niveau gelangt sind, wie das zweifellos Ihr ›Wanderer im Herbst‹ aufzeigt. Ich gratuliere Ihnen herzlich dazu und grüße Sie schönstens Ihr Alban Berg.«

Schließen wir mit der letzten Begegnung dieser beiden Männer, wie sie Herbert Strutz in seinem Buch »Kärnten auf vielen Wegen« beschrieben hat:

»Damals traf ich Alban Berg, bei dem ich etliche Jahre zuvor Komposition studiert hatte, zufällig in der Nähe des Waldhauses. Völlig überrascht standen wir einander plötzlich gegenüber, da Berg nichts von meinem und ich nichts von seinem Kärntner Aufenthalt wußte. Ich höre ihn noch die Landschaft loben und ihn etwas über ihre anregende Wirkung sagen, sehe seine feingeprägte Hand mir einige Punkte in der Umgebung zeigen, erfahre aber auch, daß ihm augenblicklich ein durch einen Insektenstich verursachter Karbunkel arg zu schaffen mache. Tatsächlich war seinem Gesicht ein leidender Zug um die Augen und den Mund eingezeichnet, den ich vorher in solcher Schärfe niemals wahrgenommen hatte. Während er an der Straße in seinen ›Ford‹ einstieg, forderte er mich noch auf, ihn gelegentlich im Waldhaus zu besuchen. Aber es kam nicht mehr dazu. Denn Bergs als Requiem gestaltetes Violinkonzert, dem er neben der Erinnerung an eine Kärntner Volksweise den Bachschen Choral auf den Text »Es ist genug! Herr, wenn es dir gefällt, so spanne mich doch aus« eingeflochten hatte, wurde auch zu seinem eigenen Requiem. Er starb – zufolge jenes vertrackten Insektenstiches – wenige Monate nach Vollendung des Violinkonzertes in den ersten Stunden des 24. Dezember 1935 in Wien, wo er am Hietzinger Friedhof beigesetzt wurde. Sein Grab schmückt ein schlichtes schweres Kreuz vom Holz einer Lärche aus dem an das Waldhaus angrenzenden Wald. Es ist eine letzte Gabe der von ihm überaus geliebten Landschaft Kärntens.«

Gustav Mahler, 1907

Gustav Mahler

Kärnten hat bekanntlich keinen von den ganz großen Komponisten hervorgebracht – wie etwa Salzburg, Oberösterreich oder das Burgenland –, aber gerade dieses südlichste Bundesland Österreichs ist so voll von vielstimmig ausgeübter Musik. Sei es nun im Familienkreis, in Schulen und zahllosen Chören, oder sei es in jenen weltbekannten Veranstaltungsreihen wie im Musikforum in Viktring, das mit dem Namen Friedrich Gulda eng verknüpft ist, oder dem internationalen Chorwettbewerb im Schloß Porcia oder im »Carinthischen Sommer« in der Stiftskriche in Ossiach und im Kongreßhaus in Villach, bei dem Komponisten und Dirigenten wie Leonard Bernstein und Aram Khatchaturjan, berühmte Interpreten wie Isolde Ahlgrimm, Elisabeth Schwarzkopf, Wolfgang Schneiderhan, Anton Heiller, Jörg Demus, Clifford Curzon, Alexander Jenner, Svjatoslaw Richter und so bedeutende Orchester wie etwa die Ungarische Nationalphilharmonie, das Bachorchester des Gewandhauses zu Leipzig, The English Bach Festival Orchestra, die Slowakische Philharmonie, die Academy of St. Martin-in-the-Fields und viele andere namhafte Orchester, Chöre, Dirigenten und Solisten zu Gast waren.

Hat Kärnten also keinen Komponisten vom Format eines Mozart, eines Josef Haydn, Franz Liszt oder Anton Bruckner hervorgebracht, so hat es doch eine starke Anziehungskraft auf ausübende und schöpferische Musiker. Liegt dies an der Landschaft, am südlichen Klima oder an der offenbar produktiven Mischung von keltischen, romanischen, germanischen und slawischen Elementen?

Tatsache ist, daß sich im Verlauf von knapp sechs Jahrzehnten drei bedeutende Komponisten zeitweise an den Ufern des Wörther Sees niedergelassen und einen beachtlichen Teil ihrer Werke hier geschaffen haben:

Alban Berg in der Zeit von 1932 bis 1935 in seinem Waldhaus in Auen bei Velden.

Der norddeutsche Komponist Johannes Brahms in den Sommern 1877, 1878 und 1879 in Pörtschach, wo er seine 2. Symphonie, das Violinkonzert op. 77, acht Klavierstücke op. 76, die »Regenlied«-Sonate für Geige und Klavier op. 78 und die zwei Klavier-Rhapsodien op. 79 komponiert hat.

Und schließlich Gustav Mahler, dieser geniale Komponist, Dirigent und Direktor an der Hofoper in Wien, der in den Sommermonaten von der Jahrhundertwende bis 1907 in Maiernigg die »Villa Siegel« bewohnte. Von hier stieg er jeden Tag hinauf zu einer kleinen Hütte tief im Wald, in welche – wie Ludwig Jahne in seiner Schrift mit dem Titel »Rund um den Wörther See« berichtet – »... nur seine musikalischen Genien Einlaß erhalten«.

Gustav Mahler im Alter von sechs Jahren in Iglau

»Auf der Suche nach der verlorenen Zeit« oder wie in einer jener Rahmenerzählungen von Adalbert Stifter, die – wie etwa »Die Mappe meines Urgroßvaters« – die dramatischen Beziehungen zwischen Menschen zum Gegenstand haben, die längst nicht mehr am Leben sind, auf Schauplätzen, die sich bis zur Unkenntlichkeit verändert haben ... so ähnlich fühlt man sich, wenn man, von Klagenfurt kommend, die Straße am Südufer des Wörther Sees entlang einem Gartentor das verwitterte Schild »Villa Siegel« entdeckt, dahinter auf einem zunächst flach, dann aber steil gegen den See abfallenden Grundstück eine jener Villen liegt, wie man sie um die Jahrhundertwende gerne gebaut hatte: mit steinerner Terrasse, gedeckter Loggia

Marie Mahler, die Mutter des Komponisten

vor dem ersten Geschoß und hölzernen Balkonen vor der Mansarde.

Aber wir wollen weder dieses Haus noch seinen Garten betreten, sondern auf der anderen Straßenseite, wo der bewaldete Hang hart und zum Teil felsig ansteigt, jenen Weg suchen, den der bekannte, am 1. Oktober 1973 verstorbene Dichter, Komponist und Literatur- und Musikkritiker Professor Herbert Strutz in seinem Buch »Kärnten auf vielen Wegen« so anschaulich beschrieben hat.

War dieser in Serpentinen angelegte Waldsteig schon damals nicht leicht zu finden, so wurde er im Verlauf der letzten anderthalb Jahrzehnte noch dichter überwuchert und von braunem, feuchtem Laub verschüttet, so daß man ihn stellenweise nicht mehr wahrzunehmen vermag und einige Male in die Irre geht, dann aber doch wieder auf dem rechten Weg zu sein meint ... Bis man endlich auf einer Lichtung, umgeben von Felsen und hohem Jungholz, eine unbewohnte, steinerne, schon ein wenig verwahrloste Hütte erreicht, die nur aus einem einzigen Raum besteht.

Daß hier, kaum sechzig Meter über dem Lärm eines Badeortes und einer Durchzugsstraße, eine so urtümliche Wildnis und eine solche Stille herrscht, ist erstaunlich genug. Noch mehr aber die Tatsache, daß sich in diese Hütte in den Sommermonaten der Jahre 1900 bis 1907, vormittags von 7 bis 12 und nachmittags von 4 bis 7 Uhr, ein Mann zurückzog, unter dessen Leitung die Hofoper in Wien durch zehn Jahre eine Blüte erreichte wie weder zuvor noch danach.

Es war Gustav Mahler, der in diesem »Komponierhäusl«, wie er es gerne nannte, seine 4. Symphonie abschloß, die 5., 6. und 7. zur Gänze und die 8. zum Teil komponierte. Dazu einige Lieder wie »Der Tambourgesell«, »Fünf Lieder nach Rückert«, Teile aus »Des Knaben Wunderhorn« und aus den »Kindertotenliedern«. All diese Werke entstanden in diesem karg und zweckmäßig eingerichteten Raum, in dem es außer einem Flügel, dem Arbeitstisch und Stuhl nur noch einen Spirituskocher gab, auf dem Gustav Mahler seinen Kaffee wärmte, und ein Bücherregal, das Gesamtausgaben von Goethe und Kant sowie Noten von Johann Sebastian Bach enthielt.

»Diesmal ist es auch der Wald mit seinen Wundern und seinem Grauen, der mich bestimmt und in meine Tonwelt hineinwebt. Ich sehe immer mehr: man komponiert nicht, man wird komponiert!« So berichtet er am 25. Juni 1900, also ein paar Tage nachdem er sein neues Komponierhäusl bezogen hatte.

Wie kam dieser Mann hierher, nach Kärnten, an den Wörther See, an dessen Ufer sich schon etwa ein Vierteljahrhundert zuvor Johannes Brahms und ein Vierteljahrhundert danach Alban Berg für eine Weile niedergelassen hatten? Dieser geniale Komponist und Dirigent, von dem kein Geringerer als Thomas Mann einmal meinte, daß sich in ihm »der ernsteste und heiligste künstlerische Wille verkörpert«, und über den der Philosoph Ernst Bloch in seinem Werk »Geist der Utopie« 1917 schrieb: »Noch immer reichen die Ohren nicht aus, um mit diesem Großen zu fühlen und ihn zu verstehen ... Niemand ist bisher in der Gewalt seelenvollster, rauschendster, visionärster Musik dem Himmel nähergetragen worden als dieser sehnsuchtvolle, heilige, hymnenhafte Mann.«

Gerhart Hauptmann schrieb ihm: »Menschen wie Sie machen, daß einem weite Strecken der Lebenswanderung unter ein frohes und göttliches Licht gesetzt werden.«

Und Ferruccio Busoni: »Ihre Nähe hat etwas Reinigendes und verjüngt das Gemüt dessen, der zu Ihnen tritt. Deswegen wird meine Sprache hier fast kindlich.«

»Damals haben wir junge Menschen an ihm die Vollendung lieben gelernt, wir haben erkannt durch ihn, daß es dem gesteigerten Willen, dem dämonischen, doch immer möglich ist, mitten in unserer fragmentarischen Welt, aus dem brüchigen irdischen Material für eine Stunde, für zwei, das Einzige, das Makellose aufzubauen ... Er ist uns damals ein Erzieher geworden und ein Helfer. Keiner, kein anderer in jener Zeit hat ähnliche Ge-

Gustav Mahler 1884 in Kassel

walt über uns gehabt.« So urteilte Stefan Zweig über ihn. Und die Frau des Dichters Richard Dehmel: »Mahler glüht und leuchtet, weist aufwärts und reißt uns mit, weit über unser Einzelschicksal hinaus.«

Es gäbe noch viele andere Zeugnisse bedeutender Persönlichkeiten hinzuzufügen, wie etwa die von Sigmund Freud und Gustav Klimt; die der Komponisten Hans Pfitzner, Arnold Schönberg, Alban Berg und Anton von Webern; der Dirigenten Hans von Bülow, Bruno Walter, Otto Klemperer und Leopold Stokowski; der Schriftsteller Romain Rolland, Hugo von Hofmannsthal, Arthur Schnitzler, Hermann Bahr, Alfred Polgar und Karl Kraus; einiger Künstler vom Theater wie Joseph Kainz, Adolf von Sonnenthal und Max Reinhardt und viele andere Zeugnisse aus allen Teilen der Welt.

Wie kam dieser große Komponist und besessene Dirigent, der so viele Orchester in Europa und Amerika in seinen energischen und zugleich höchst sensitiven Händen zu ungeahnten Leistungen steigern konnte und von sich selbst behauptete, daß sein Lebensgang in einem Saus dahinbrennen müsse und er nichts anderes könne als arbeiten, denn alles andere habe er im Laufe der Jahre verlernt – wie und woher kam Gustav Mahler nach Kärnten?

Wir wissen, daß er am 7. Juli 1860 in Kalischt, einem kleinen Dorf in Böhmen, als zweites von zwölf Kindern geboren wurde. Sein Vater, Bern-

Alma Maria Mahler, 1909

Gustav Mahler 1890 in Hamburg

hard Mahler – Sohn einer jüdischen Hausiererin, die noch in hohem Alter, einen Korb auf dem Rükken, von Haus zu Haus durchs Land zog – war ein ungewöhnlich ehrgeiziger, triebhafter, zu Gewalttätigkeiten neigender Charakter; die Mutter Marie hingegen zart gebaut, von weichem Gemüt und zudem von Geburt an herzkrank. Sie stammte aus einer wohlhabenden jüdischen Kaufmannsfamilie und hatte als Mädchen einen jungen Mann aus der gleichen sozialen Schicht geliebt, der sie jedoch, da sie hinkte, nicht beachtete. So flüchtete sie in eine Ehe, die ihr viel an Kummer und Demütigungen bringen sollte. Die ungewohnt schwere Hausarbeit und all die Entbehrungen, dazu ihres Mannes brutaler Jähzorn, der wegen jeder Geringfügigkeit, zum Ausbruch kam, sowie die Geburten so vieler Kinder, von denen fünf schon früh an Diphtherie starben, ein sechstes – Gustavs Lieblingsbruder Ernst – mit zwölf Jahren langsam an »Herzbeutelwassersucht« dahinsiechte – all dies machte die Mutter Gustav Mahlers zu einer in sich gekehrten, leidgeprüften Frau, an der er mit Achtung und Liebe hing, während er seinen Vater zuinnerst ablehnte.

»Sie paßten so wenig zueinander wie Feuer und Wasser. Er war der Starrsinn, sie die Sanftmut selbst«, so hat er sich gelegentlich über seine Eltern geäußert. Und doch vereinigte gerade er, wenn man ihn mit seinen begabten, aber schwächlichen Geschwistern vergleicht, am deutlichsten die Eigenschaften beider Elternteile in seinem Charakter: das innige, naturverbundene Gemüt der Mutter mit des Vaters Zähigkeit im Verfolgen von Zielen. Ja auf einer freilich höheren Ebene gleicht sein Weg dem seines Vaters. Denn wie dieser sich mit zähem Fleiß aus ärmlichsten Verhältnissen zunächst emporgearbeitet und selbständig gemacht hatte, dann, als die Habsburger den Juden im Jahre 1860 im sogenannten »Oktoberdiplom« größere Freiheiten gaben, aus der Enge seines böhmischen Dorfes in die mährische Stadt Iglau übersiedelt war und sich stets der deutschen Kultur verbunden gefühlt hatte, so verließ auch sein Sohn bald die Enge des Elternhau-

Die Sängerin Anna Mildenburg, mit der Gustav Mahler befreundet war

ses, zog nach Prag, nach Wien und in der Folge in die Welt. Studierte wie sein Vater, den man einst in seinem Dorf den »Kutschbockgelehrten« genannt hatte, deutsche Dichtung und Philosophie, las schon in jungen Jahren mit wahrem Heißhunger Kant, Schopenhauer und Friedrich Nietzsche; Goethe, Schiller, Jean Paul und E. T. A. Hoffmann und verehrte sein Leben lang den subtilsten Kenner seelischer Sachverhalte: Fjodor Michailowitsch Dostojewskij.

Er war ein musikalisches Wunderkind, war gleichsam von Geburt an dem reichen böhmischen Volksliederschatz und all den Trommelwirbeln und Trompetensignalen, die von der nahen Kaserne zu hören waren, so lebhaft aufgeschlossen, daß er schon als Vierjähriger auf seiner Kinderharmonika fremde Melodien wiederholen und eigene erfinden konnte. »Ich habe«, erzählt er später, »seit meinem vierten Lebensjahr immer Musik gemacht und komponiert, bevor ich noch Tonleitern spielen gekonnt.« Und als er eines Tages auf dem Dachboden im Haus seiner Großeltern ein altes, verstaubtes Klavier entdeckte und darauf selbstvergessen spielte, bis man ihn entdeckte, beschloß sein Vater, für ihn ein Klavier zu kaufen und ihn unterrichten zu lassen. Der kleine Gustav machte unter seinem ersten Klavierlehrer in kurzer Zeit solche Fortschritte, daß er bereits mit zehn Jahren zum ersten Mal öffentlich auftrat, worauf eine Iglauer Zeitung ihn als »künftigen Klaviervirtuosen« bezeichnete.

Durch diesen ersten Erfolg beeindruckt und ermutigt, schickte ihn sein ehrgeiziger Vater, der wohl auch instinktiv die hohe Begabung des Sohnes erkannte, ans Gymnasium nach Prag, wo er sich neben dem humanistischen Studium musikalisch fortbilden sollte. Doch dieser erste Vorstoß in die Stadt mißlang. So kehrte Gustav schon 1872 wieder nach Iglau ins Elternhaus zurück. Und erst im Herbst des Jahres 1875 – er hatte unterdessen sein Instrument souverän beherrschen gelernt – kam der entscheidende Sprung in die »Reichshaupt- und Residenzstadt Wien«, in der er soviel an Kämpfen und Triumphen, aber auch an Enttäuschungen erleben sollte und die er am 9. Dezember 1907 verließ, für immer, wie er sich vorgenommen hatte; in die er aber doch im Jahre 1911 todkrank zurückkehrte. Er starb hier am 18. Mai desselben Jahres und wurde auf dem Grinzinger Friedhof neben seiner Tochter Maria Anna begraben, die er kaum vier Jahre davor in Maiernigg verloren hatte.

Doch wir wollen nicht vorgreifen, sondern wieder an den Beginn seiner Karriere zurückkehren.

1875 kam er ans bekannte Wiener Konservatorium, das damals von Joseph Hellmesberger geleitet wurde. Julius Epstein wurde sein Klavierlehrer. Anton Bruckner und Robert Fuchs unterrichteten ihn in der Harmonielehre, Franz Krenn in der Komposition und im Kontrapunkt. Und auch hier kam der bei seinem Eintritt erst Fünfzehnjährige erstaunlich rasch voran. Obgleich er daneben enorm viele Bücher las und oft im Wienerwald umherstreifte, anstatt seine Vorlesungen zu besuchen, errang er schon im ersten Jahr den ersten Preis für den meisterhaften Vortrag einer Schubert-Sonate, im dritten, dem Abschlußjahr, den ersten Kompositionspreis und zur Beendigung seiner gründlichen Lehrzeit am Wiener Konservatorium das Diplom mit dem Prädikat »vorzüglich«.

Es folgten zwei Jahre der Suche und intensiver Studien an der Wiener Universität, unterbrochen von Aufenthalten in Iglau und in Ungarn, und in Bad Hall, wo er einen Sommer lang Kurkapellmeister war. Bis im Herbst

Gustav Mahler 1907 in der Loggia der Wiener Hofoper

Gustav Mahler. Radierung von Emil Orlik, 1903

1881 für ihn, der doch im Grunde nur komponieren und nur für eine Art Übergangszeit eine Anstellung suchen wollte, jene Karriere als Opernkapellmeister einsetzte, die einmalig in der Theatergeschichte bleibt, da er jedem Haus für die Zeit, die er dort wirkte, einen nie zuvor erlebten Glanz verlieh.

Es begann mit Laibach (1881–1882). Und es folgten Olmütz (1883), das Carltheater in Wien (Sommer 1883), Kassel und Prag (1883–1885), Leipzig (1886–1888), die Oper in Budapest (1888–1891), wo ihm am Ende seines leidenschaftlich engagierten Wirkens von Freunden ein goldener Dirigentenstab und eine silberne Vase mit der Inschrift: »Dem genialen Künstler Gustav Mahler – seine Budapester Verehrer« zugeschickt wurde; danach ging es ans hervorragende Stadttheater in Hamburg (1891–1897), wo der große Dirigent Hans von Bülow seinem jungen Kollegen einen Lorbeerkranz überreichen ließ, auf dessen Schleife der Satz: »Dem Pygmalion der Hamburger Oper – Hans von Bülow« zu lesen war. Hier lernte er bedeutende Sänger und Sängerinnen kennen, aber auch Peter Iljitsch Tschaikowski, der eigens zur deutschen Uraufführung seines »Eugen Onegin« nach Hamburg gekommen war und Gustav Mahler »einen Mann von Genie« nannte. Ferner Bruno Walter, mit dem er sein Leben lang verbunden blieb und der seine Arbeit an der Oper oft miterleben sollte. »Mahlers Klavierproben«, berichtet er, »die mir durch seine herrischen, einfallsreichen Mahnungen an die Sänger, durch sein tiefes Eindringen in die Werke zu unvergeßlicher Belehrung dienten, seine Orchesterproben, in denen seine

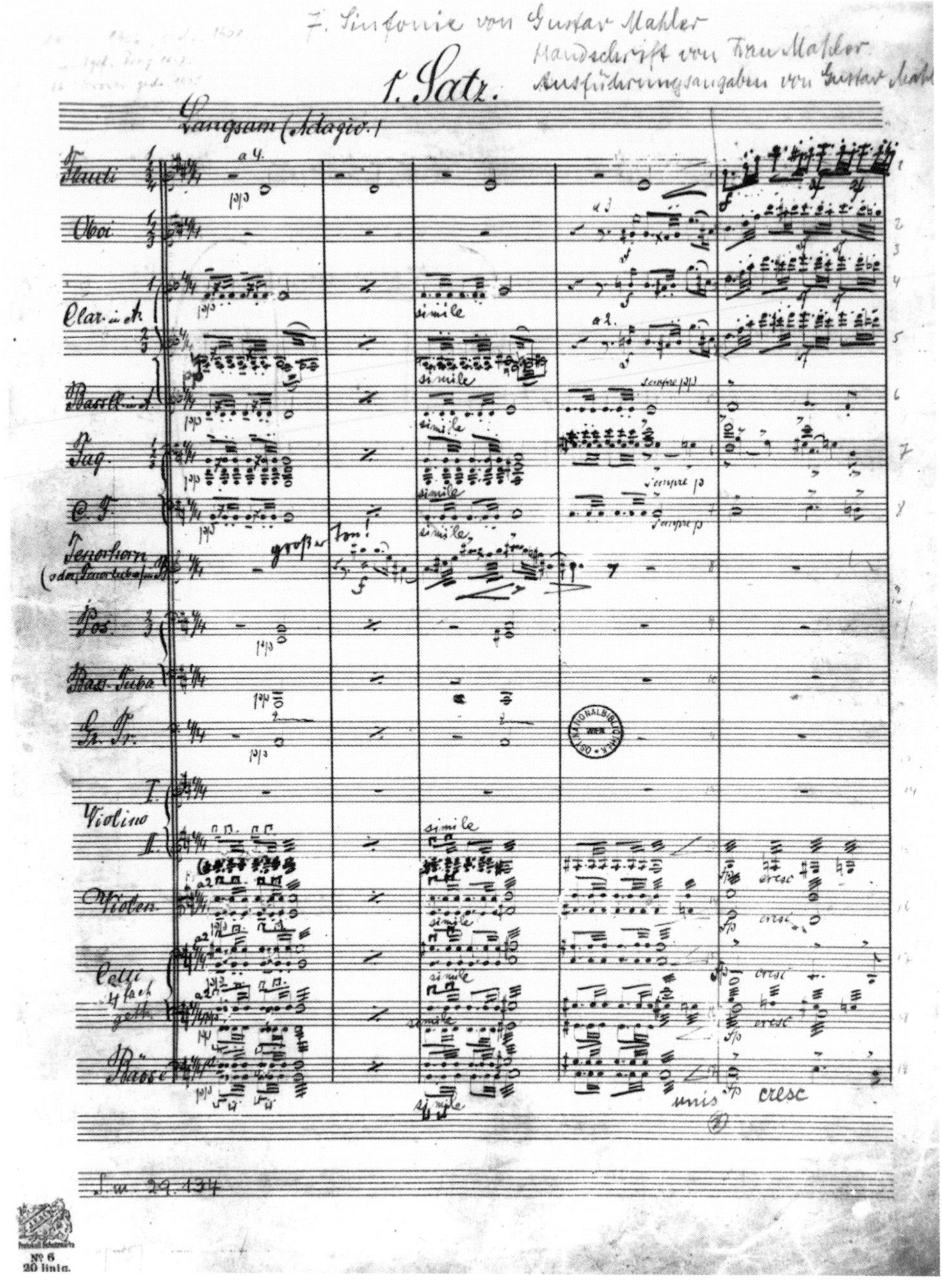

Drei Partiturseiten des ersten Satzes

der am Wörther See entstandenen 7. Symphonie

tyrannische Persönlichkeit den Musikern durch eine zwischen Einschüch-
terung und Anfeuerung wechselnde Methode, ein Äußerstes an Leistung
abgewann, machten jeder noch irgendwo in mir vorhandenen Neigung zur
Selbstgefälligkeit ein Ende.«

Mit ähnlichen Worten beschreibt die Sängerin Anna von Mildenburg – mit
der Gustav Mahler befreundet war und die ihn, wie wir noch hören werden,
im Sommer 1899 auf Maiernigg aufmerksam machen sollte – die gemeinsame Erarbeitung von Rollen: »Er brachte mir die höchsten Begriffe von
künstlerischer Präzision und musikalischer Genauigkeit bei, und ich lernte
von ihm, meine Anforderungen an mich selbst aufs höchste anzuspannen.«
    In dieser Zeit rastlosen, begeisterten und begeisternden Wirkens fiel
zudem im Sommer 1892 ein Gastspiel des Hamburger Operntheaters in
London, das für Gustav Mahler zu einem beglückenden Triumph werden
sollte.
    Die höchste Befriedigung brachte ihm freilich erst seine Berufung an
die Hofoper in Wien, wo er am 11. Mai 1897 als »seine« Premiere einen
»Lohengrin« dirigierte, der das anspruchsvolle Wiener Publikum begeisterte, und am 8. Oktober des gleichen Jahres vom Kaiser Franz Joseph
zum »artistischen Direktor« ernannt wurde.
    Nun war das Ziel erreicht! Nun war er endlich in seiner »Heimat«! Mit
welcher Energie, mit welchem Ernst und Reformeifer er nun ans Werk ging,
läßt sich am besten aus einer Bemerkung Franz Schmidts ablesen: »Seine
Direktion brach über das Operntheater wie eine Elementarkatastrophe her-
ein … Was da alt, überlebt oder nicht ganz lebensfähig war, mußte abfallen
und ging rettungslos unter.«
    Es versteht sich, daß ihm solche Einstellung nicht nur begeisterte An-
hänger einbrachte. Denn so kompromißlos er gegen sich selbst war, pflegte
er auch andere nicht zu schonen, ließ nur das Allerbeste gelten und kämpf-
te um der möglichst musikalischen, möglichst genauen Interpretation des
jeweiligen Werkes willen zäh, mit Leidenschaft und ohne Rücksicht um jedes Bild, jeden Takt, jede Note. Seine Proben waren von den Mitwirkenden
geliebt und gefürchtet. Doch was dabei herauskam, waren Aufführungen
von nie zuvor erlebtem Glanz und differenziertem Reichtum; namentlich ab
dem Jahre 1903, als Mahler in Alfred Roller den kongenialen Bühnenbild-
ner gefunden hatte, so daß nun Musik und Bild ganz zu künstlerischen
Einheiten verschmolzen.

Handschrift Gustav Mahlers. Aus einem Brief aus dem jahre 1901

Es fehlt hier an Raum, auch nur flüchtig auf die vielen mitreißenden Inszenierungen Gustav Mahlers in jenem Jahrzehnt in Wien einzugehen. Auch die drei Jahre, in welchen er, neben seiner Tätigkeit an der Hofoper, als Dirigent der Philharmonischen Abonnementkonzerte Triumphe feierte, seien hier nur erwähnt; ebenso seine großen Konzerttourneen, die ihn nach Petersburg, Warschau und Lemberg, nach Paris und Triest, einige Male nach Amsterdam und immer wieder in deutsche Städte wie Berlin, Köln, Frankfurt, Mainz, Breslau usw. führten, Konzerte, auf deren Programmen nun immer häufiger auch eigene Werke des gefeierten Dirigenten angesetzt waren. Kurzum, Gustav Mahler stand auf dem Gipfel seiner Erfolge.

Aber, wie schon gesagt, es fehlt hier an Raum, näher darauf einzugehen. Zudem kann dies auch gar nicht der Zweck dieser Abhandlung sein, die sich ja mit den Beziehungen Gustav Mahlers zu Maiernigg am Wörther See beschäftigen soll. Und doch, gerade weil wir diesen Beziehungen nachspüren wollen, war es nicht zu umgehen, zunächst als Kontrast zu berichten, in welch aufregender, leidenschaftlich erfüllter Rasanz dieser Mann

Gustav Mahler mit einem kleinen Mädchen

lebte, der sich jeden Sommer für ein paar Wochen in die Stille und völlige Isoliertheit seines »Komponierhäusls« zurückzog. Denn bei aller Geradlinigkeit, wenn es ein Ziel zu verfolgen galt, bestand Gustav Mahler zuinnerst aus vielen Gegensätzen.

»Die höchste Glut der freudigsten Lebenskraft und die verzehrendste Todessehnsucht: beide thronen abwechselnd in meinem Herzen ...«, schrieb er mit neunzehn einem Freund. Ein anderes Mal heißt es: »... ich seh, wie frei und froh der Mensch sofort wird, wenn er aus dem unnatürlichen und unruhevollen Getriebe der großen Stadt wieder zurückkehrt in das stille Haus der Natur.« Wieder in anderen Briefen beklagt er sich, daß er »an die Galeere ›Theater‹ gekettet« sei; oder: »Diese entsetzliche Tretmühle des Theaters preßt mir die Seele zusammen«; oder: »Ich bin so ›mittendrin‹, wie es nur ein Theaterdirektor sein kann. Entsetzliches, aushöhlendes Leben! Alle Sinne und Regungen nach außen gewendet, ich entferne mich immer mehr von mir selbst. Wie wird das enden?«

Der Verdacht, er habe sich mit solchen Klagen ein wenig selbst betrogen,

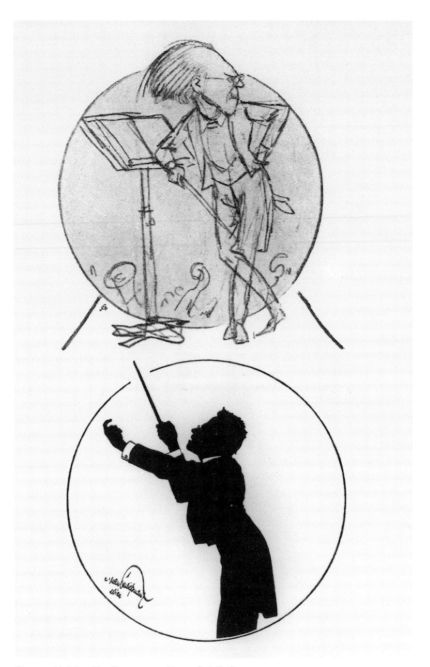

Gustav Mahler. Karikatur von Hans Schließmann

ist nicht von der Hand zu weisen. Denn er brauchte und liebte ja offenbar auch die Stadt; liebte die begeisternde Kraft eines vollen Orchesters kaum weniger als die Stille; war nach außen wie nach innen gekehrt. Mit einem Wort: Er war ein genialer Dirigent und ein genialer Komponist, der die beiden Seelen in seiner Brust zuweilen so inständig empfand, daß er einmal in einem Brief aus New York bekannte: »... ich würde mich manchmal gar nicht wundern, wenn ich plötzlich einen neuen Körper an mir bemerken würde.«

Da er während der Saison an der Oper weder die Zeit noch die nötige Ruhe fand, Eigenes zu schaffen, blieben ihm dafür nur die Theaterferien in den Sommermonaten. Und da er mit dieser Zeit geizen mußte, um sich aufs äußerste zu konzentrieren und rasch voranzukommen, pflegte er, den man den »Ferienkomponisten« nannte, seit dem Jahr 1893 nicht mehr im jeweiligen Sommerquartier zu arbeiten, sondern in einer etwas abseits gelegenen Hütte, in die er sich nach einem strengen Stundenplan zurückzog und in der ihn niemand stören durfte.

So kam es zu seinen bekannten »Komponierhäusln«, deren es im Verlauf von etwa eineinhalb Jahrzehnten drei gab: das erste am Attersee (1893–1896) und das letzte in Toblach (1907–1910). Das zweite und schönste, in welchem er zudem die meisten Sommer verbrachte, ist jene unbewohnte steinerne, schon ein wenig verwahrloste Hütte oberhalb der Ortschaft Maiernigg, zu der wir eingangs auf dicht überwuchertem, von braunem, feuchtem Laub verschüttetem Waldsteig hinauf gestiegen sind und uns dabei verwundert fragten, wie und woher Gustav Mahler wohl in diese Gegend gekommen sein mochte.

Im Sommer 1899 verbrachte er seinen Urlaub in Bad Aussee; offenbar nicht sehr zufrieden, denn er bat seine Schwester Justine, ihm für den nächsten Sommer ein Quartier »irgendwo am Wörther See« zu beschaffen, »womöglich gleich für ein paar Jahre«. Sie machte sich mit dem Fahrrad auf den Weg, begleitet von der gemeinsamen Freundin Natalie BauerLechner, die darüber in einem Brief vom 18. August desselben Jahres berichtet:

»Als Justi und ich neulich nach einer erfolglosen Wohnungs-Entdeckungs-Radelei um den See herum ganz deprimiert in Maria Wörth ankamen, wurden wir, schon auf dem Dampfer, angerufen und aufgehalten von – der Mildenburg, die kaum vom Zweck unserer Reise gehört hatte, als sie uns bewog, auszusteigen und nach Maiernigg mitzukommen, wo das, was wir suchten, zu finden sei. Ein geschickter Amateur-Architekt namens

Gustav Mahlers See-Haus in Maiernigg am Wörther See (»Villa Siegel«)

Theurer, auf den Frau Mildenburg uns aufmerksam machte, ein unabhängiger und selten herzensguter Mensch, stellte seine Kenntnisse und Erfahrungen unseren Wünschen zur Verfügung und riet, nicht zu mieten, sondern zu bauen, was mit seiner Hilfe gut und billig geschehen könne. Mahler wurde daraufhin telegraphisch herbeigerufen. Wir wohnten drei Tage, von größter Gastfreundschaft umgeben, in der Villa ›Schwarzenfels‹. Alles wurde durch und durch beraten, Baugründe besehen und auf ihre Ruhe hin geprüft, was keine kleine Aufgabe und immer wieder mit Enttäuschungen verbunden war, so daß Mahler schon unverrichteter Dinge abziehen zu müssen glaubte. Da fand sich aber im letzten Augenblick das Beste – ein ganz abgeschlossener waldiger Baugrund am See für das Haus und nicht weit in der Höhe darüber ein wahrer verwunschener Urwald als weltentrückter Platz für Mahlers Häuschen ... «

Knapp ein Jahr danach arbeitete er bereits in diesem »Häuschen«, wohnte aber vorläufig noch in der »Villa Antonia«. Und wieder ein Jahr später zog er in das nun fertiggestellte eigene Haus am See, an dessen Gar-

Gustav Mahlers »Komponierhäusl« im Wald bei Maiernigg.

tentor wir noch heute jenes verwitterte Schild »Villa Siegel« entdecken
können.

Hier, am südlichen und schattigeren Ufer des hellen Wörther Sees, erlebte Gustav Mahler seine glücklichsten Jahre, die freilich ein jähes und be-
drückendes Ende nehmen sollte. Hier komponierte er jene drei großen In-
strumentalwerke, die man – nach Paul Bekkers Analyse – zur zweiten
Gruppe seines symphonischen Werks zählt: die von Daseinsfreude und
stampfender Lust am sinnlichen Geschehen erfüllte Fünfte; die ungemein
düstere Sechste; und die sieghafte, an ihrem Ende von Jubelfanfaren getra-
gene Siebente.

Hier schuf er zum Teil die große Achte, sein »Summum opus«, dessen
sorgfältigst vorbereitete, »gigantische« Uraufführung am 12. September
1910 in München, unter seiner eigenen Leitung, ohne Zweifel zum Gipfel
im reichen Musikerleben Mahlers wurde; schuf unter anderem auch seine
»Kindertotenlieder«, ohne zu ahnen, welchen »Preis« er schon bald danach
für dieses Werk zu zahlen hatte. Hier verlebte er unbeschwerte Tage mit sei-

ner Frau Alma, die er am 9. März 1902 geheiratet hatte, und seinen beiden kleinen Töchtern Maria Anna und Anna Justina. Hier schwamm er in seiner Mittagspause gerne weit in den See hinaus, und von hier aus unternahm er Ausflüge in die nähere und weitere Umgebung, zu Fuß, auf dem Rad, mit dem Boot oder mit der Kutsche, wobei er auch immer wieder nach Klagenfurt kam und sich umsah und umhorchte.

So besuchte er einmal – aus ernsthaftem, musikalischem Interesse – ein Volksfest auf dem »Kreuzbergl«, wo, wie er wörtlich berichtet, »ein recht arger Hexensabbath los war, da sich mit unzähligen Werkeln von Ringelspielen und Schaukeln, Schießbuden und Kasperltheatern auch Militärmusik und ein Männergesangverein dort etabliert hatten, die alle auf derselben Waldwiese ohne Rücksicht aufeinander ein unglaubliches Musizieren vollführten ... Hört ihr's? Das ist Polyphonie und da hab ich sie her! ... Denn es ist gleichviel, ob es in solchem Lärme oder im tausendfältigen Vogelsang, im Heulen des Sturmes, im Plätschern der Wellen oder im Knistern des Feuers ertönt. Gerade so, von ganz verschiedenen Seiten her, müssen die Themen kommen und so völlig unterschieden sein in Rhythmik und Melodik (alles andere ist bloß Vielstimmigkeit und verkappte Homophonie): nur daß sie der Künstler zu einem zusammenstimmenden und -klingenden Ganzen ordnet und vereint.«

Diese anschauliche, mit gleichem Einfühlungsvermögen ins Musikalische wie ins Musikantische geprägte Schilderung jenes Volksfestes am »Kreuzbergl« in Klagenfurt stehe hier nur als ein Beispiel für Gustav Mahlers Bereitschaft, unablässig aufzunehmen und dazuzulernen, den äußeren wie den inneren Stimmen aufmerksam zuzuhören, sie zu verarbeiten, zu verfremden, zu verdichten, kurzum: sie – wie wir eben von ihm selbst gehört haben – »zu einem zusammenstimmenden und -klingenden Ganzen« zu formen.

Man kann sich also vorstellen, in welch fiebrig-rauschhaften Ekstasen – gezügelt durch Zweifel und stellenweise mühseligstes Vorankommen – er in seiner Hütte tief im Walde eine Reihe ganz eigenständiger, genialer Werke schuf, wobei er seinen Arbeitstisch gerne an eines der geöffneten Fenster zu rücken pflegte. Kann sich aber auch vorstellen, wie ihm zu Mute war, wenn er am Ende jeden Sommers Maiernigg verlassen mußte, wo er sich selbst und der Zukunft gehörte, um wieder zurückzukehren in die Turbulenz Wiens und anderer Städte, in denen er den Gegenwart und den anderen gehörte.

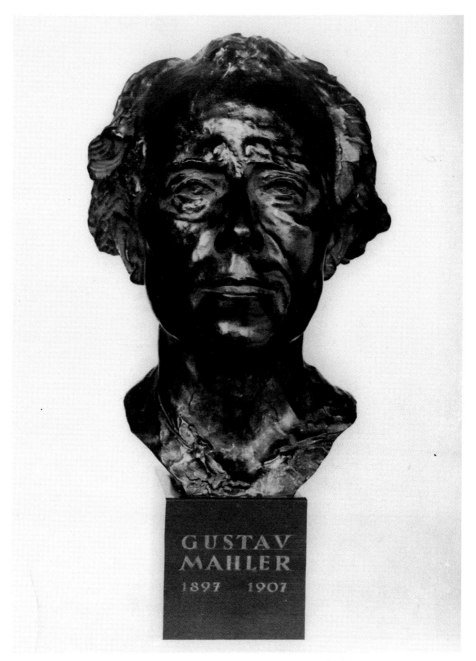

Gustav Mahler. Bronzebüste von Auguste Rodin, modelliert 1909 in Paris

»Heute gehe ich fort von hier: mit einem schweren Herzen!« beklagt er sich in einem Brief Ende August 1901. »Zu wissen, daß man wieder ein Jahr warten muß, ist traurig. Auch schon deshalb, weil ich mein Werk mitten drin stehen lassen muß – wie gewöhnlich. Welch ein Glück ist es für die Mütter, daß sie nicht gezwungen werden können, ihre Geburtswehen zu unterbrechen – und vielleicht auch für die Kinder.«

Wie in dem zuletzt genannten Satz des eben zitierten Briefes verglich er gerne – und, wie ich glaube, nicht zu Unrecht – den künstlerisch-schöpferischen Akt mit dem einer Geburt. So hatte er am 29. Juni 1894 seinem alten Freund Löhr auf einer Postkarte mitgeteilt: »Melde hiemit die glückliche Ankunft eines gesunden, kräftigen letzten Satzes der II. Vater und Kind befinden sich den Umständen angemessen; letzteres ist noch nicht außer Gefahr.« Und nachdem er seine 1903/04 in Maiernigg komponierte und 1906 in Essen uraufgeführte 6. Symphonie abgeschlossen hatte, drängte es ihn, in übermütig-seligen Worten Bruno Walter davon zu berichten: »Wer kein Genie besitzt, soll davon bleiben, und wer es besitzt, braucht vor nichts zurückzuschrecken. Das ganze Spintisieren über all das kommt mir vor wie einer, der ein Kind gemacht hat, sich nachträglich erst den Kopf zerbricht, ob es auch wirklich ein Kind ist und ob es mit richtigen Intentionen gezeugt ... Er hat eben geliebt und – gekonnt ... Und wenn einer nicht liebt und nicht kann, dann kommt eben kein Kind! ... Und wie einer ist und kann – so wird das Kind! ... Meine VI. ist fertig. Ich glaube ich habe gekonnt! ...«

Aber Gustav Mahler war nicht nur ein Mann, der ein Werk nach dem anderen »gebar«. Er war auch der beste »Geburtshelfer«. Sein Einfluß auf Sänger und Dirigenten, vor allem aber auf jene jungen Komponisten – Arnold Schönberg, Alban Berg und Anton von Webern –, die später zur »Wiener Schule« sich vereinten, ist nicht hoch genug einzuschätzen. Man lese nur die Briefe Arnold Schönbergs, um zu spüren, mit welcher Verehrung der »Schüler« an seinem »Lehrer« hing, obwohl er später ganz andere Wege ging.

Daß ein Künstler, der so gedrängt, so intensiv lebte und so vielen Menschen vieles zu geben hatte, seine Frau zeitweise vernachlässigte, ist begreiflich. Wer Alma Mahlers Buch »Gustav Mahler – Erinnerungen und Briefe« liest, spürt den ganzen Menschen und Künstler unmittelbar, spürt aber auch, daß diese Aufzeichnungen nicht immer glaubwürdig sind. Denn die vielen zärtlich besorgten Briefe, die Gustav Mahler seiner Frau von seinen Tourneen schrieb, widerlegen nur zu oft ihre Behauptung, er sei äußerst egozentrisch gewesen.

An vielen Stellen wird in diesem Buch von Maiernigg erzählt. So etwa von jenen vierzehn Tagen einer lähmenden Unproduktivität, die Gustav Mahler jedesmal befiel, wenn sie hier angekommen waren. Zwei schwere Wochen, ehe endlich wieder die intensive Schaffensfreude über ihn kam. Wir lesen, wie die beiden übermütig über Zäune kletterten und durch Hekken krochen; von seiner Gewohnheit, bei jedem Wetter, selbst bei heftigstem Regen, einen weiten Spaziergang zu unternehmen, wobei er unterwegs manchmal stehen blieb, ein kleines Notenskizzenbuch hervorholte und »schrieb und sann und schrieb; manchmal taktierte er in der Luft und schrieb weiter. Dies dauerte oft eine Stunde und mehr. Ich setzte mich unterdessen in einiger Entfernung auf die Wiese oder auf einen Baumstrunk und wagte nicht, ihn anzusehen. Dann lächelte er manchmal herüber, wenn er sich über einen Einfall freute ... Dann gingen wir weiter oder kehrten um, denn oft drängte es ihn schnell nach Hause und in sein Arbeitszimmer zu kommen.«

Wir finden viel Ernstes und Heiteres in diesem Buch. Und stoßen schließlich auf die erschütternde Schilderung jenes 5. Juli 1907, an dem Gustav und Alma Mahlers Tochter Maria Anna in Maiernigg an einer »Scharlach-Diphtherie« gestorben ist. Im selben Jahr löste Mahler seinen Vertrag mit der Wiener Hofoper, und am Ende dieses Jahres reiste er nach Amerika. Nach Maiernigg und in sein »Komponierhäusl«, von dem er sich stets so ungern getrennt hatte, kehrte er nie mehr zurück.

»Auf der Suche nach der verlorenen Zeit« – so ist einem zumute, wenn man in dieser urtümlichen Wildnis und Stille vor der verlassenen Hütte steht, in der Werke entstanden sind, die heute in aller Welt aufgeführt werden. Werke eines Mannes und genialen Künstlers, der am 18. Mai 1911 in Wien gestorben ist und über den sein Schüler und Freund, der große Dirigent Bruno Walter in seinem Buch »Themen und Variationen« schrieb:

»Da war ein Mann, der kannte keinen trivialen Augenblick, der dachte keinen Gedanken und sprach kein Wort, das Verrat an seiner Seele bedeutet hätte, und ich möchte hinzufügen, daß ich in den siebzehn Jahren der Freundschaft mit Mahler ihn nie anders als auf der Höhe seines hohen Wesen gefunden habe.«

Johannes Brahms um 1885

Johannes Brahms

Seine Werke werden mit höherem Alter immer knapper, dichter, gedrängter, in der Empfindung dabei immer schlichter. Und es zeigt sich gerade an ihm, daß es eine Entwicklung und Entfaltung nicht nur nach der Seite der Vielfältigkeit hin gibt, sondern auch nach der der Einfachheit ...

Brahms vermochte es – und darin war er seinen großen Vorgängern ähnlich –, eine Melodie zu schreiben, die bis in die kleinsten Biegungen hinein sein Eigentum war und doch wie ein Volkslied klang. Oder, umgekehrt gesagt: eine Melodie, die ein wirkliches, echtes Volkslied – und doch von Brahms war.

Wilhelm Furtwängler, aus einer Rede 1931

Wer sich alter Zeiten zu erinnern sucht, der geht gewöhnlich nicht streng chronologisch vor, sondern hält sich gerne fürs erste an die näher gelegenen Erlebnisse, um dann erst, Stufe um Stufe, tiefer in die Vergangenheit einzudringen.

So haben auch wir von jenen drei bedeutenden Komponisten, die sich in einem Zeitraum von knapp sechs Jahrzehnten an den Ufern des Wörther Sees niedergelassen und einen beachtlichen Teil ihrer Werke hier geschaffen haben, uns zunächst mit dem jüngsten unter ihnen, mit Alban Berg, beschäftigt, der in seinem Waldhaus in Auen bei Velden am Südufer des Wörther Sees in den Jahren 1932 bis 1935 seine Oper »Lulu« und sein großes, »Dem Andenken eines Engels« gewidmetes Violinkonzert komponierte, ehe er, todkrank, nach Wien zurückkehrte, wo er am 24. Dezember 1935 starb.

Unser zweiter Beitrag galt dem genialen Komponisten und Dirigenten Gustav Mahler, unter dessen Direktion die Wiener Hofoper durch zehn

Schloss
Leonstein in
Pörtschach,
in dessen
Wirtschafts-
trakt Brahms
während sei-
nes ersten
Sommerauf-
enthaltes
1877 zwei
Räume
bewohnte
(oben und
links)

Das ehemali-
ge »Krainer-
Häuschen«,
heute »Haus
Rapatz«,
am West-
ausgang von
Pörtschach,
das Brahms
während
seiner Som-
meraufent-
halte in
den Jahren
1878–1879
zu seinem
Wohnsitz
erkor (unten)

Johannes Brahms, 1874

Jahre eine Blüte erreichte wie weder zuvor noch danach. Er hatte sich, etwa drei Jahrzehnte vor Alban Berg, gleichfalls am Südufer des Wörther Sees niedergelassen; und zwar in seiner »Villa Siegel« am Westausgang von Maiernigg. Von hier stieg er, den man den »Ferienkomponisten« nannte, in den Sommermonaten der Jahre 1900 bis 1907 täglich zu seinem tief im Wald gelegenen »Komponierhäusl« hinauf, wo er, unter anderem, seine 4. Symphonie abschloß, seine 5., 6. und 7. zur Gänze und seine 8. zum Teil komponierte.

Wenn wir nun aber noch ein Vierteljahrhundert tiefer in die Vergangenheit tauchen, so begegnen wir – diesmal nicht am Süd-, sondern am Nordufer des Wörther Sees – einem dritten großen Komponisten: dem Norddeutschen Johannes Brahms, der in den Sommern 1877, 1878 und 1879 in Pörtschach seine 2. Symphonie und das Violinkonzert op. 77 komponierte; dazu die 8 Klavierstücke, op. 76, die »Regenlied«-Sonate für Geige und Klavier, op. 78, die zwei Klavier-Rhapsodien, op. 79, die Chorlieder »Warum ist das Licht gegeben dem Mühseligen« aus op. 74 und »Oh schöne Nacht« aus op. 92 und schließlich die Balladen und Romanzen Nr. 1 und Nr. 3 aus op. 75. Aber auch einige seiner Lieder wie: »Ade«, »Todessehnen«, »Therese«, »Nachtwandler« und »Versunken« hat er hier geschrieben.

Mit einem Satz: Rund um diesen See entstand eine Reihe unvergänglicher, reich differenzierter musikalischer Werke, so daß man, mit Brahms, behaupten möchte: »Ja, der Wörther See ist ein jungfräulicher Boden, da fliegen die Melodien, daß man sich hüten muß, keine zu treten.«

Nun stammte freilich keiner dieser drei Komponisten aus Kärnten. Denn Alban Berg wurde in Wien, Gustav Mahler in dem kleinen Dorf Kalitsch in Böhmen und Johannes Brahms in Hamburg geboren. Gemeinsam war ihnen ihre Liebe zur Natur und zum Lied, ihre zutiefst romantische Grundstimmung und – wenn wir nun einmal ihren Spuren in Kärnten folgen – jene Lebensabschnitte, die sie in unserem Bundesland verbrachten. Alle drei liebten es, in diesen langgestreckten, hellen und schattigen und an Buchten und Halbinseln reichen See hinauszuschwimmen sowie an seinen Ufern weite Spaziergänge zu unternehmen. Und so ist es nicht ohne Reiz, sich vorzustellen, daß sie – hätten sie um die gleiche Zeit gelebt – einander auch da und dort begegnet wären.

Dazu kam es nie; zumindest nicht in Kärnten, wie denn überhaupt ihre Verbindung untereinander nur eine lose und eher ideelle als persönliche blieb.

So schätzte etwa der junge Alban Berg den alten Johannes Brahms, in dessen Stil er einige seiner ersten Lieder komponiert hatte, als einen Vollender der Variationsform. Gustav Mahler und sein Werk aber liebte und verehrte er sein Leben lang mit leidenschaftlicher Parteinahme.

Gustav Mahler wieder – zwischen beiden stehend, also der Klassik wie der Moderne zugewandt – verfolgte mit Interesse die Bestrebungen der »Jungen« und mag über Alban Berg ähnlich geurteilt haben wie über Arnold Schönberg, von dem er einmal sagte: »Wenn ich ihn auch oft nicht verstehe: ich bin alt – er ist jung; also hat er recht!«; hingegen berichtet er 1896 seiner Freundin, der Sängerin Anna von Mildenburg, aus Ischl von einer seiner Begegnungen mit Johannes Brahms: »Hier kann ich wirklich mit Faust sagen: Von Zeit zu Zeit seh' ich den Alten gern! Er ist ein knorriger und stämmiger Baum, aber reife, süße Früchte, und eine Freude, den mächtigen, reichbelaubten Baum anzusehen. – Wir passen allerdings nicht sehr zusammen und die ›Freundschaft‹ wird nur aufrechterhalten, weil ich dem alten großen Meister als Junger, Werdender gern die schuldige Rücksicht und Nachsicht zolle und mich nur von der Seite zeige, von der ich glaube, daß sie ihm angenehm ist.«

Johannes Brahms schließlich hat zwar Alban Berg nicht mehr gekannt, den jungen Gustav Mahler aber – von dem er eine ihm unvergeßliche »Don Giovanni«-Aufführung miterlebt hatte – vor allem als Dirigenten sehr ge-

Pörtschach zur Zeit Johannes Brahms'. Gemälde von Gentilini.
Landesmuseum für Kärnten

schätzt. Er war es auch, der sich, noch unmittelbar vor seinem Tod, mit aller
Energie dafür einsetzte, daß Gustav Mahler zum Direktor der Wiener Hofoper berufen wurde.

Was führte Johannes Brahms, mit dem wir uns diesmal ausführlich beschäftigen wollen, was verschlug diesen »knorrigen, reichbelaubten Baum«, der
von sich selbst gerne behauptete, er sei der unliebenswürdigste aller Musiker, aus dem Norden an den Wörther See?
    Er hatte zwar schon am 25. Februar und am 13. November 1867 im Casi-
no in Klagenfurt zwei Konzerte gegeben, über deren letzteres, bei dem der
berühmte Geiger Joseph Joachim, königlicher Konzertmeister in Hannover,
den Solopart spielte, man noch heute in der »Klagenfurter Zeitung« Nr.
48, Jahrgang 1867, eine Kritik finden kann. Aber erst am 7. Juni 1877, also

Oben links: Partitur der in Pörtschach entstandenen 2. Symphonie in D-Dur,
op. 73 (Titelseite)
Rechts: Originalprogramm zum 4. Philharmonischen Abonnementkonzert
am 30. Dezember 1877 unter Hans Richter. Uraufführung der 2. Symphonie.

ein Jahrzehnt später, sollte er Pörtschach für sich entdecken. Und er fühlte
sich hier auf Anhieb so wohl, daß er sich gleich für die drei Sommer 1877,
1878 und 1879 einrichtete und in diesem Triennium eine reiche musikalische Ernte einbrachte.

»Unsere Landschaft gleicht beiläufig der vom Starnberger See, nur haben wir größere Berge im Hintergrund, die Karawanken.« So berichtet er
seiner Freundin Clara Schumann in einem Brief vom August 1877. Und sie
erwidert: »Also in Pörtschach bist Du? Hätte man nur eine Idee, wo das
ist?«

Sie hatte nicht so unrecht in ihrer Ahnungslosigkeit. Denn Pörtschach
war damals noch lange nicht jener bekannte Badeort, der mit seinen vielen
komfortablen Hotels und Pensionen, Strandbädern, Promenaden, Tennis-
plätzen und Möglichkeiten zur Ausübung verschiedenster Sportarten alljährlich eine Unzahl in- und ausländischer Gäste beherbergt, sondern ein

Faksimile-Seite des Autographs der 2. Symphonie in D-Dur
(Klavierbearbeitung)

unbedeutendes Dörfchen, das man wohl vergeblich auf einer Karte von nur
ein wenig größerem Maßstab gesucht hätte. Es gab zwar bereits eine eigene
Bahnstation, aber sie trug nicht den Namen »Pörtschach«, sondern »Maria
Wörth«, nach jenem Wallfahrtsort, der am Südufer gegenüber Pörtschach
liegt und den man von hier mit einem jener alten Raddampfer oder einer
Fähre erreichen konnte.

Bewohnt wurde dieser malerische Ort von Bauern und Fischern, zu denen über die Sommermonate einige Sommerfrischler, vor allem aus wohl-
habenderen Wiener Familien, kamen, die hier nach und nach ihre Villen und
Landsitze bauten. Unter ihnen Dr. Karl Kupelwieser, ein Nachkomme des
feinsinnigen, mit Schubert und Grillparzer befreundeten Wiener Malers
Leopold Kupelwieser, von dem in der Folge noch die Rede sein wird. Denn
Brahms verkehrte gerne und oft in seinem gastlichen Haus. Zudem stammt
von Dr. Kupelwiesers Frau Berta, einer geborenen Wittgenstein, jene bekannte Büste des Komponisten aus carrarischem Marmor, die ursprünglich
unter den Fenstern vor dem Nebentrakt des Schlosses Leonstein aufgestellt

wurde, nun aber im gro-
ßen Schloßhof zu finden
ist. Dieses Denkmal zeigt
uns den damals vierund-
vierzigjährigen Brahms
noch mit glattem Gesicht.
Seinen Vollbart ließ er
sich nämlich erst im Som-
mer 1878 in Pörtschach
wachsen; und zwar, wie
Freunde behaupteten, vor
allem, um darunter keinen
Kragen tragen zu müssen.
Denn Brahms schätzte
sein Behagen und seine
Unabhängigkeit oft höher
ein als den Ruhm. So hat
er es zweimal abgelehnt,
nach England zu fahren,
um den begehrten Dok-
torhut der Universität
Cambridge entgegenzu-
nehmen: »... bedenken Sie
vor allem freundlich«,
schrieb er, »ich kann nicht

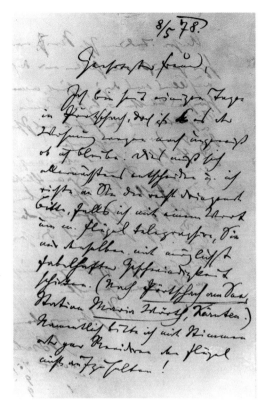

Brief von Brahms an Streicher vom 8. Mai
1878 aus Pörtschach (1. Seite)

nach Cambridge gehen, ohne auch London zu besuchen, in London aber
wie vieles zu besuchen und mitzumachen – das alles aber im schönen Sommer, wo es auch Ihnen gewiß sympathischer wäre, mit mir an einem schönen
italienischen See zu spazieren.«

Und als ihm später der österreichische Leopoldsorden verliehen wurde,
meinten jene Wiener Freunde, von denen eben die Rede war: »Nun hat er
doch was um den Hals zu tragen, aber es ist leider immer noch kein Kragen.«

Er liebte es, auf dem Land zu leben und zu arbeiten. Viele seiner besten
Einfälle kamen ihm unterwegs, auf einsamen Spaziergängen, unter freiem
Himmel. Und so ist es verständlich, daß er sich besonders gerne in Pört-
schach niederließ, in einer Landschaft, die er in einem Brief an seinen Ver-

Kalenderblätter aus »Fromme's Wiener Taschenkalender« vom Juni 1877, vom Mai 1878 und vom Mai 1879 mit eigenhändigen Eintragungen Brahms', seinen Aufenthalt in Pörtschach betreffend

Links: Partitur des Violinkonzertes op. 77 (Titelseite), das Brahms in
Pörtschach komponierte.
Rechts: Originalprogramm zum Joachim-Konzert mit Orchester am
14. Jänner 1879. Uraufführung des Violinkozertes op. 77

leger Simrock als den »Eingang zum Schönsten und Großartigsten« bezeichnet.

　　»Für künftige Sommer empfehle ich Euch die hiesige Gegend! Ich mei-
nesteils gehe auch im Sommer künftig nicht ohne besonderen Grund aus
Österreich hinaus!« schrieb er dem Dirigenten und Hofkapellmeister Otto
Dessoff. Und als er im April 1878 seine Heimreise von Italien, entgegen
seinem ursprünglichen Vorhaben, in Pörtschach unterbrach, berichtete er
darüber:»Erzählen will ich, daß ich hier in Pörtschach am See ausstieg, mit
der Absicht, den nächsten Tag nach Wien zu fahren. Doch der erste Tag war
so schön, daß ich den zweiten durchaus bleiben mußte, der zweite aber so
schön, daß ich fürs erste weiter bleibe.«

　　Er bewohnte zunächst im Wirtschaftstrakt des Schlosses Leonstein die
Hausmeisterwohnung, deren Lage heute, auf Grund einiger mittlerweile
vorgenommener baulicher Veränderungen, nicht mehr genau festzustellen

Faksimile-Seite des Autographs des Violinkonzertes op. 77

ist. Es waren nur zwei kleine Zimmer. »M e i n Flügel«, schrieb er seinem Freund Artur Faber, »würde die Treppe nicht heraufgehen, auch wohl die Wand sprengen. Zum Glück hat Dr. Kupelwieser aus Wien hier eine Villa und einen Stutzflügel. Den haben wir sofort ins Zimmer gestellt, und mein Flügel kommt nun in die Villa.«

In diesen beiden Zimmern komponierte Brahms in seinem ersten Pörtschacher Sommer die hellste und heiterste seiner vier Symphonien: Die »Zweite« in D-Dur, die man gerne als Brahms' »Pastorale« bezeichnet. Denn sie wirkt so innig naturverbunden, daß sein Freund, der berühmte Chirurg Theodor Billroth, mit dem Brahms übrigens neun Reisen nach Italien unternommen hat, nach dem ersten Anhören in die begeisterten Worte ausbrach: »Das ist ja lauter blauer Himmel, Quellenrieseln, Sonnenschein und kühler, grüner Schatten. Am Wörther See muß es doch schön sein.«

Ja, es war schön an diesem Fleckchen Erde. Man hatte sich in einer eigenen, wenn auch kleinen, aber behaglichen und zudem äußerst billigen Wohnung eingerichtet, die lediglich dreißig Gulden kostete; hatte sein geliebtes

Instrument bei der Hand, dazu eine Auswahl seiner liebsten Bücher. Denn Brahms las gerne. Mit weiterer Lektüre, wie etwa der »Allgemeinen musikalischen Zeitung«, wurde er von Edmund Astor und von anderen Freunden mit Manuskripten versorgt, so daß er sich nur nach Klagenfurt begab, wenn er Papier- und Tabakeinkäufe zu erledigen hatte. Die Landschaft lud zu ausgedehnten Spaziergängen, der See zum Baden ein. Auch gebrach es ihm nie an Zerstreuung und Gesellschaft. Denn zum einen unterhielt er sich unterwegs gerne mit Bauern, Fischern und Fuhrleuten, zum anderen war er ja oft bei jenen befreundeten Familien, die hier ihre Sommerfrische verbrachten, zu Gast. In diesen Häusern – Kupelwieser, Oser,

Simrock-Ausgabe der in Pörtschach komponierten »Regenlied«-Sonate für Pianoforte und Violine, op. 78 (Titelseite)

Franz und Brücke, aber auch im Schloß selbst – wurde viel musiziert; und zwar zu viel, wie Brahms bald am eigenen Leib erfahren sollte.

Weit häufiger als in den genannten Häusern war er nämlich beim Freiherrn von Pausinger eingeladen, der mit seiner Familie schon seit Jahren in den Sommerferien das Schloß Leonstein bewohnte. Brahms kannte ihn und seine höchst agile, in der Musik wie in der Malerei bewanderte Frau Fanny von Pausinger schon von München her. Und so wurde der von der ganzen Familie verehrte Meister nicht nur zu den erlesensten Mittag- und Abendtafeln eingeladen, sondern auch zu Spazierfahrten, sei es nun in der noblen Equipage des Barons oder in dessen Segelboot. Kurzum, man überschüttete ihn mit Gastfreundschaft und fühlte sich zudem bemüßigt, ihn jedem durchreisenden Gast des Hauses vorzustellen.

All dies wäre vermutlich noch angegangen. Aber daß die junge, allzu betriebsame Frau Baronin all seine Lieblingsplätze in Aquarellen festhielt und

Brahms Anfang der achtziger Jahre.
Radierung von Hermann Droehmer

ihn immer wieder als Partner zum Vierhändigspielen heranzog, begann ihn, der nichts höher schätzte als seine Unabhängigkeit, allmählich zu verdrießen. Und zwar so sehr, daß er in seinem zweiten Pörtschacher Sommer sein billiges, zum Areal des Schlosses gehörendes Quartier aufgab und in das schräg gegenüber liegende Krainer-Häuschen übersiedelte, das wir heute noch als »Haus Rapatz« am Westausgang von Pörtschach finden. Hier bewohnte er 1878 einen Teil und im folgenden Sommer alle Räume des ersten Stockes. Er hatte dafür freilich das Achtfache zu bezahlen als für seine erste Wohnung. Aber er war jetzt frei.

»Denn«, so berichtet Max Kalbeck in seiner 1809 erschienenen Brahms-Biographie, »mehr als die Kreuzottern in dem berüchtigten Schlangennest der Ruine Leonstein fürchtete er die mit Palette und Malstuhl im Gebüsch lauernde Baronin, und lieber als ein Rendezvous mit dem auf Rehe pirschenden Freiherrn war ihm eine Begegnung mit dem Geiste des Moosburger Karlmann oder ein Stelldichein mit der singenden und tanzenden Wasserfee des wild einsamen Worstniggsees, die er so schön in seinem h-Moll-Kapriccio, op. 76 Nr. 2, abkonterfeite.«

Es versteht sich, daß er seine Beziehung zum Schloß nicht ganz abbrach. Aber er schränkte sie ein. Getreu seinem und seines Freundes, des schon erwähnten Geigers Joachims, Grundsatz: »Frei, aber einsam« oder richtiger: »Einsam, aber frei«, konnte er nun ganz über seine Zeit verfügen, wie es ihm beliebte.

Er war ein Frühaufsteher, der zumeist schon ein Stück im See ge-

Die 15-jährige Geigerin Marie Soldat, die
Brahms in Pörtschach kennenlernte.
Ihr Talent beeindruckte ihn so sehr, dass er ihr
den Solopart seines Violinkonzertes op. 77
anvertraute, das in Pörtschach im Sommer
1879 mit großem Erfolg aufgeführt wurde

schwommen war, ehe er zwischen vier und fünf Uhr morgens sein selbst zubereitetes Frühstück einnahm. Danach unternahm er gewöhnlich einen Spaziergang von etwa einer Stunde, mit Vorliebe im Klosterwald, der damals dem bekannten Benediktinerstift St. Paul gehörte. Um sieben Uhr aber saß er bereits über seiner Arbeit. Sie ging ihm in jener Zeit besonders gut von der Hand, wobei er seine melodischen Erfindungen nicht nur auf dem Klavier zu spielen, sondern auch vergnügt vor sich hin zu pfeifen pflegte.

Mittags speiste er gerne im Gasthaus »Zum weißen Rößl«, das der Familie Werzer gehörte, deren Nachkommen mittlerweise eine Menge größerer und kleinerer Hotels in Pörtschach erbaut haben. Aber auch abends saß er oft hier im Wirtshausgarten, in Gesellschaft der jungen Postmeisterin Antonie Christel und einiger Honoratioren wie: Ingenieur Miller, Dr. Heiss, Staatsanwalt Dr. Semmelrock und dem Arzt von Pörtschach, Dr. Leopold. Hier rauchte er behaglich seine Zigarre, trank einiges und ließ sich von seinen Tischgenossen Anekdoten erzählen und Kärntner Lieder vorsingen.

Daß eine so frohe, gleichsam von Sonnenwärme und Licht durchströmte Epoche im Leben eines Komponisten auch in seinen Werken seinen Nie-

Faksimile-Seite des Autographs der in Pörtschach komponierten »Regenlied«-Sonate für Pianoforte und Violine, op. 78

derschlag fand, ist begreiflich. So schrieb Brahms in Pörtschach nach seiner
Zweiten Symphonie in D-Dur das Violinkonzert op. 77, gleichfalls in D-
Dur, sowie alle jene Klavierstücke, Balladen, Romanzen und Lieder, die wir
eingangs aufgezählt haben. Es handelt sich dabei – wenn man von einigen
Ausnahmen, wie etwa der Motette »Warum ist das Licht gegeben den
Mühseligen?«, absieht – durchwegs um helle, heitere Werke; nicht von jener
Art »Programmusik«, wie sie damals in Mode kam, aber tief von unmittel-
barem Naturerleben geprägt. So etwa in der höchst anschaulichen »Regenlied«-Sonate für Geige und Klavier. Und wenn er einmal an Auguste
Brandt schrieb: »Ich bin verliebt in die Musik, ich liebe die Musik, ich denke nichts als sie, und nur an anderes, wenn es die Musik mir schöner
macht«, so wird er sich vermutlich in seinen drei Pörtschacher Sommern
besonders häufig in so »verliebter« Verfassung befunden haben.

Der damals 44- bis 47jährige Junggeselle befand sich auf der Höhe seiner Kraft, hatte seine angeborene Schüchternheit längst abgelegt, war
selbstbewußt geworden, im rechten Sinn dieses Wortes; und das will sagen:

Brahms im »Roten Igel«. Zeichnung, 1889

er schätzte seine eigenen Kompositionen richtig ein, war stolz auf sie und blieb doch – wenn man von seiner Einstellung gegenüber Bruckner, Liszt und eventuell auch Wagner absieht – stets um Objektivität bemüht, ja, bescheiden, wenn er über andere große Komponisten urteilte.

So schrieb er im Mai 1878 aus Pörtschach, mitten aus seiner intensiven Arbeit am Violinkonzert, an Clara Schumann: »Daß die Leute im allgemeinen die allerbesten Sachen, also Mozarts Konzerte ... nicht verstehen und nicht respektieren – davon lebt unser Einer und kommt zum Ruhm. Wenn die Leute eine Ahnung hätten, daß sie von uns tropfenweise dasselbe kriegen, was sie dort nach Herzenslust trinken können!«

Und in einem anderen Brief heißt es: »Ja, ich schäme mich nicht zu sagen, daß es mir selbst eine große Freude ist, wenn ein Lied, ein Andante oder sonst was mir gut gelungen scheint. Wie muß es erst den Göttern Mozart, Beethoven und denen, deren tägliches Brot das ist, zumute gewesen sein, wenn sie den Schlußstrich unter ›Figaros Hochzeit‹ und ›Fidelio‹ gesetzt haben, um anderen Tages ›Don Juan‹ und ›Neunte Symphonie‹ zu beginnen! – Was ich nicht begreife, ist, wie unsereiner eitel sein kann ...«

So sehr er Bach, Mozart, Beethoven und Schubert verehrte, so ableh-

Letzte Aufnahme von Johannes Brahms am 15. Juni 1896

nend verhielt er sich gegen Anton Bruckner; sei es nun aus einer Art von Selbstschutz, sei es, weil er dessen Werke nicht verstand und um keinen Preis zu den »Wagnerianern« gehören wollte. Uns Heutigen erscheint die damals offenbar unüberbrückbare Kluft: Wagner, Bruckner und der einen, Brahms auf der andern Seite so begreiflich und zugleich schwer zu begreifen, wie etwa die Kluft zwischen Stifter und Friedrich Hebbel oder anderen bekannten Gegensatz-Paaren in der Geschichte der Kunst, so daß wir Bruno Walter beistimmen möchten, wenn er in seinem »Thema und Variationen« 1947 schreibt: »Die Wahl zwischen Wagner und Brahms, die mir eigentlich wegen des Milieus, in dem ich aufgewachsen war und lebte, Qual bereiten sollte, wurde mir sehr leicht: denn ich wählte nicht, ich liebte eben beide.«

Was Brahms, den Klavierlehrer, betrifft, berichtet seine englische Biographin Florence May, die ihn bei einem Sommeraufenthalt in Baden-Baden kennengelernt hatte: »Er war streng und bestimmt; er war sanft und geduldig und ermutigend; er war nicht nur klar, er war das Licht selbst; er kannte jedes Detail technischen Studiums erschöpfend, konnte es beibringen und brachte es in der möglichst knappen Art und Weise bei ...« Und als sie ihm nach ihrer ersten Mozart-Stunde sagte: »Alles, was Sie heute gesagt haben, ist mir ganz neu«, habe er, indem er auf die Noten deutete, gemeint: »Es steht alles da!«

Gegen jüngere Komponisten konnte sich Brahms, wie man weiß, mitunter recht barsch und abweisend verhalten, stieß er aber auf eine echte Begabung, schlug seine Einstellung ins Gegenteil um. Denn dann wurde er zum lebhaften Förderer. Man denke nur an Antonín Dvořák, dessen Talent er schon früh erkannte, dem er – als Mitglied einer vom Österreichischen Unterrichtsministerium bestellten Jury – immer wieder ein Stipendium zukommen ließ, den er seinem eigenen Verleger empfahl und den er förderte, wo er nur konnte. Das ging so weit, daß er sogar Korrekturen für ihn ausführte, worüber Oskar Nedbal berichtet: »Ein seltenes Beispiel von Größe und Bescheidenheit, man wird in der ganzen Musikgeschichte nichts Ähnliches finden: ein großer, anerkannter Meister nimmt seinem jüngeren Kollegen, aus reiner Liebe zur Sache, die mühselige Arbeit des Fehlerverbesserns ab!« Ja, Brahms half auch in finanzieller Hinsicht oft genug Dvořák und seiner vielköpfigen Familie und meinte einmal: »Nun, ich habe keine Kinder, ich habe für niemand mehr zu sorgen, betrachten Sie mein Vermögen als Ihr Eigentum.«

Ein Teil der Korrespondenz zwischen diesen beiden Komponisten fiel in die Pörtschacher Jahre, ebenso der Besuch eines anderen jungen Komponisten, den Brahms schätzte: des Russen Iwan Knorr, der einige Tage im August 1877 bei ihm im Schloß wohnte und mit ihm und Franz Wüllner eine Bergtour auf den Dobratsch unternahm. »Brahms war froh wie ein Kind, trieb die ausgelassensten Späße und neckte mich, den er immer seinen Benjamin nannte, wo er nur konnte, in liebenswürdigster Weise.« So erzählte Iwan Knorr von diesem Ausflug und blieb Brahms, der ihm eine Stelle als Direktor am Hochschen Konservatorium in Frankfurt am Main verschaffte, sein Leben lang in Freundschaft verbunden.

Aber Brahms förderte nicht nur junge schöpferische Musiker, von deren Talent er überzeugt war, sondern auch den und jenen Solisten. Das schönste Beispiel dafür ist wohl die Geigerin Marie Soldat, die erst fünfzehn Jahre alt war, als der Redakteur der »Grazer Tagespost«, Dr. Adalbert Svoboda, der seinen Urlaub am Wörther See verbrachte, sie Brahms vorstellte. Es wurde eine Probe vereinbart, und Brahms war vom Spiel der jungen Virtuosin derart angetan, daß man kurzerhand beschloß, in Pörtschach einen Abend zu geben, bei dem Brahms' Violinkonzert zur Aufführung gelangen sollte. Auf den Plakaten, die im Sommer 1879 zwischen Klagenfurt und Villach angeschlagen wurden, war also, neben den bekannten Größen Johannes Brahms und Louise Dustmann, auch der Name einer Künstlerin zu lesen, den niemand kannte. So hatte dieses Sommerkonzert einen großen Zulauf. Und die junge Geigerin machte ihre Sache so ausgezeichnet, daß damit ihre Karriere für die Zukunft entschieden war. Denn sie war durch lange Zeit die einzige Solistin, die Brahms' schwieriges Violinkonzert meisterhaft beherrschte. Und als sie damit am 8. März 1885 zum ersten Mal in Wien auftrat, meinte Brahms: »Ist die kleine Soldat nicht ein ganzer Kerl? Nimmt sie es nicht mit zehn Männern auf? Wer will es besser machen?«

Über kaum ein anderes Werk von Johannes Brahms sind wir, hinsichtlich seiner Entstehungsgeschichte, so genau informiert wie über sein Violinkonzert. Brahms war zwar ein hervorragender Pianist, aber das Spiel auf der Violine beherrschte er nur recht mittelmäßig. So suchte er also immer wieder Rat bei Joseph Joachim. Und so gibt uns der Briefwechsel zwischen den beiden Freunden die beste Auskunft über all die technischen und musikalischen Probleme, die Brahms intensiv beschäftigten, als er in seinem zweiten Pörtschacher Sommer an diesem Werk arbeitete; Auskunft aber auch über all die Mühen, die Zweifel, die schöpferische Qual und Lust, von denen der Künstler heimgesucht wurde, bis eines jener Werke vollendet war, das so leicht hingeworfen wirkt und nicht mehr wegzudenken ist. Und wenn Brahms einmal zu Richard Heuberger sagte: »Das darf einem nicht so einfallen! ... Glauben Sie, eines von meinen paar ordentlichen Liedern ist mir fix und fertig eingefallen? Da habe ich mich kurios geplagt!«, so gilt dies im besonderen für sein Violinkonzert, von dem Clara Schumann meint, »daß es ein Konzert ist, so sich das Orchester mit dem Spieler ganz und gar verschmilzt, die Stimmung in dem Satz (dem 1. [Anm. des Verfassers]) ist der in der zweiten Symphonie sehr ähnlich, auch in D-Dur ...«.

Der berühmte und gefürchtete Kritiker Eduard Hanslick, ein überzeugter »Antiwagnerianer« und Verehrer von Johannes Brahms – er hatte übrigens als erster eine Lehrkanzel für Ästhetik und Geschichte der Musik an der Wiener Universität inne –, nannte das Violinkonzert »ein Musikstück von meisterhaft formender und verarbeitender Kunst, aber von etwas spröder Erfindung und gleichsam mit halbgespannten Segeln auslaufender Phantasie«. Gerade diese »etwas spröde Erfindung« und die »mit halbgespannten Segeln auslaufende Phantasie« machen jedoch den Reiz dieses innig poetischen Violinkonzertes aus, das sich würdig an jenes von Beethoven und Mendelssohn anschließt und heute noch zu den beliebtesten Werken dieser Art im Konzertrepertoire in aller Welt zählt, an dem die bedeutendsten Geiger schon ihre Kräfte gemessen haben und wohl weiterhin messen werden.

Wer am Westausgang von Pörtschach vor dem bunt bemalten »Haus Rapatz« stehenbleibt, der sollte sich vergegenwärtigen, daß dieses Werk hier, im ersten Stock, niedergeschrieben und zuvor auf weiten »schöpferischen Spaziergängen« in den umliegenden Wäldern und an den Ufern des Sees konzipiert wurde; ähnlich wie es ein Vierteljahrhundert später Gustav Mahler hielt, und wieder ein Vierteljahrhundert danach Alban Berg. Diese drei Großen der Musik mochten sich zuweilen in einer ähnlichen Stimmung befunden haben wie ein anderer Großer aus dem Bereich der Literatur: Robert Musil, der am 13. Juni 1925 seinen Freund Oskar Maurus Fontana aus Velden am Wörther See schrieb:

»Ich sitze weniger – wie Sie vermuten – im Grünen, sondern liege im Blauen, und dieser herrliche See, in dem man spazieren schwimmt, hat für mich den großen Nachteil, daß man nicht das Manuskript ins Wasser mitnehmen kann.«

Von Pörtschach aus unternahm Brahms aber nicht nur Ausflüge in die nähere Umgebung, sondern auch einige Reisen nach Italien, von deren erster im Jahre 1878 uns die folgende amüsante Geschichte erhalten ist: Brahms und Billroth waren eines Morgens bei einem gemeinsamen Freund, H. Wichmann, zu Gast, dessen Köchin den drei Herren ein ganz vorzügliches Frühstück zubereitete. Dazu gab's einen weißen »Frascat« und einen roten »Belletri«. Man war in bester Stimmung. Die Köchin gefiel sichtlich. Und als es am Ende zum – wie man bei uns sagen würde – »Drüberstreuen« noch ein Glas »Sizilianer vom Besten« gab, erklärte ihr H. Wichmann, der große deutsche Komponist Johannes Brahms begehre sie zur Frau. Sie aber wehrte entschieden ab: »Sono romana« – und indem sie die drei Herren mit flammenden Augen maß, fügte sie hinzu: »Nata al Ponte rotto, dove sta il tempio di Vesta, non sposerò mai un barbaro!«

Natürlich steht diese heitere Begebenheit in keinerlei Zusammenhang mit der Tatsache, daß Brahms nie geheiratet hat. Daß er Junggeselle blieb, hat tiefere Gründe. So schrieb er einmal seinem Freund, dem Schweizer Schriftsteller Joseph Viktor Widmann: »In der Zeit, in der ich am liebsten geheiratet hätte, wurden meine Sachen in den Konzertsälen ausgepfiffen oder wenigstens mit eisiger Kälte aufgenommen. Das konnte ich nun sehr gut ertragen, denn ich wußte genau, was sie wert waren und wie sich das Blatt schon noch wenden würde ... Aber wenn ich in solchen Momenten vor die Frau hätte hintreten, ihre fragenden Augen ängstlich auf die meinen gerichtet sehen und ihr hätte sagen müssen, ›es war wieder nichts‹ – das hätte ich nicht ertragen.«

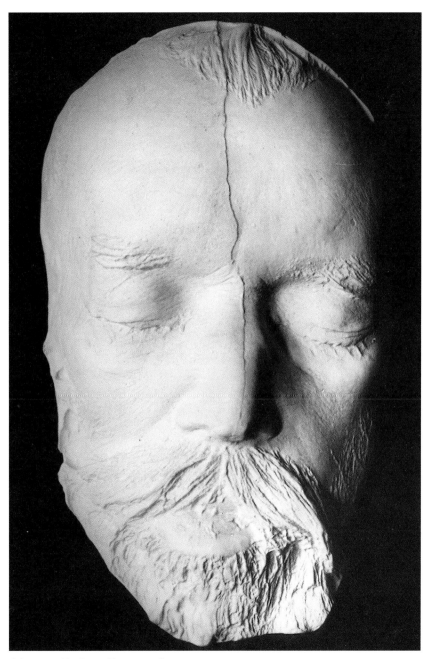

Johannes Brahms: Totenmaske

Der tiefste Grund, sein Junggesellentum nicht aufzugeben, liegt aber in seinem Hang zur Unabhängigkeit, der ihn nicht nur vor der Ehe, sondern auch vor mancher ehrenvollen festen Anstellung zurückschrecken ließ. So hat er in seinem letzten Pörtschacher Sommer das Angebot, Thomas-Kantor in Leipzig zu werden, ausgeschlagen. Und als ihm drei Jahre vor seinem Tod seine Heimatstadt Hamburg die Leitung der Philharmonischen Konzerte anbieten wollte, lehnte er gleichfalls ab: »Es ist nicht vieles«, schrieb er, »was ich mir so lange und lebhaft gewünscht hätte seiner Zeit – das heißt aber zur rechten Zeit! Es hat auch lange gewährt, bis ich mich an den Gedanken gewöhnte, andere Wege gehen zu sollen ...«

»Einsam, aber frei! – Frei, aber einsam!« – wir erwähnten bereits sein Motto. Dabei hatte er durchwegs gute Beziehungen zu Mädchen und Frauen, namentlich zu Clara Schumann, der er bis zu ihrem Tod am 20. Mai 1896 in einer Freundschaft verbunden blieb, für die sein Briefwechsel mit ihr das schönste Zeugnis ablegt.

Aber er hatte auch andere Freundinnen, wie etwa Elisabeth Herzogenburg, Agathe von Siebold, Florence May, die Schwestern Wittgenstein oder Hermine Spieß, der er übrigens, als er um die fünfzig war, beinahe wirklich einen Heiratsantrag gemacht hätte. Dazu kommt noch manche Wirtin auf dem Lande und vor allem seine Wirtschafterin Cölestine Truxa, die während seiner letzten zehn Jahre gemeinsam mit ihren beiden Söhnen in der gleichen Wohnung in Wien, Karlsgasse 4, mit Brahms lebte.

Mit dieser braven Frau, die ihm auf dem Totenbett die Augenlider geschlossen hat, hat es übrigens eine besondere Bewandtnis. Sie warf nämlich die Notenblätter und Briefe, die sie in ihres Herrn Papierkorb fand, nicht fort, sondern sammelte sie gewissenhaft, hinterließ sie später ihren Söhnen, die sie dem Wiener Brahms-Forscher Professor Gottfried Marcus weitergaben, so daß wir uns heute, allein durch die treue Aufmerksamkeit Cölestine Truxas, im Besitz dieses unschätzbaren Nachlassen befinden.

Dadurch wird uns freilich auch bewußt, wieviel von seinem übrigen »Nachlaß« verloren gegangen sein muß. Denn Brahms pflegte, wo immer er lebte, seine Skizzen fortzuwerfen. Und wenn er 1890 schreibt: »Viel zerrissenes Notenpapier habe ich zum Abschied von Ischl in die Traun gewor-

Rechts: Brahms-Büste aus carrarischem Marmor von Berta Kupelwieser, geb. Wittgenstein, 1907. Die Büste stand ursprünglich vor dem Nebentrakt des Schlosses Leonstein und ist heute im großen Schlosshof zu finden

fen«, so ist anzunehmen, daß er mit seinen Entwürfen in Pörtschach nicht anders umging.

Unersetzbare Verluste, gewiß. Doch wollen wir uns an die Werke halten, die er uns hinterlassen hat, will sagen, die er uns ganz bewußt hinterlassen wollte; an seine Musik, die Wilhelm Furtwängler, der jeden Takt vom Brahms kannte, einmal wie folgt charakterisierte: »Brahms' Musik hat sich – von ihrem Entstehen zu seinen Lebzeiten an – sogleich durchgesetzt, das heißt, sie wurde jenseits alles bewußten Begreifens und Besserwissens sofort zu einer wirksamen Macht innerhalb der Musikwelt. Auch wir stehen im Bann dieser Macht, die, obwohl ganz offenbar und vor aller Augen, doch gerade im Falle Brahms nicht so leicht erklärbar scheint. Werfen wir etwa einen Blick auf seine musikgeschichtliche Stellung, so können wir denen nicht unrecht geben, die behaupten, daß er eigentlich nichts wirklich »Neues« gebracht habe. Betrachtet man die Musikgeschichte vom Standpunkt der Entwicklung, des Fortschritts, so muß man sich wirklich fragen, ob man ihm überhaupt das Prädikat eines großen Meisters zuerkennen kann. Aber auch die unmittelbare ›Wirkung‹ seiner Werke war keineswegs besonders groß, zeit seines Lebens stand er im Schatten Wagners. Später kamen andere – Bruckner, Strauß u. a. –, die ihn immer gleichsam an zweite Stelle rücken ließen. Und doch – wenn wir uns heute darüber klarwerden wollen, wer die Weltgeltung der deutschen Musik zum letztenmal Tatsache werden ließ, so ist es neben dem einzigartigen und mit nichts zu vergleichenden Wagner eben doch vor allem immer wieder Brahms. Er ist in der englischsprechenden Welt, in Amerika ebenso wie in den nordischen Ländern, einer der meistaufgeführten und bestbekannten Musiker überhaupt. Er gilt dort als letzter großer Vertreter deutscher Musik des vergangenen Jahrhunderts; und auch in den romanischen Ländern, in Frankreich, Italien, beginnt man, sich seiner Bedeutung und klassischen Prägung bewußt zu werden.«

Wirkt es da nicht geradezu prophetisch, wenn man liest, was Robert Schumann in einem Brief an den Verlag Breitkopf und Härtel über den damals zwanzigjährigen Johannes Brahms schrieb: »Es ist hier ein junger Mann erschienen, der uns mit seiner wunderbaren Musik auf das allertiefste ergriffen hat und (wie) ich überzeugt (bin), die größte Bewegung in der musikalischen Welt hervorrufen wird.«

Brahms' Originalität bestand paradoxerweise darin, daß er nie versuchte, um jeden Preis originell zu sein. Er war ein eher konservativer als revolutionärer Einzelgänger, der weder einer Gruppe oder Schule angehören noch deren Haupt sein wollte. Vielmehr hielt er es wie Friedrich Nietzsche, der einmal von sich behauptete: »Verhaßt ist mir das Folgen und das Führen!«

Er war zäh und fleißig, ließ sich jedoch nur äußerst ungern drängen; liebte die Einsamkeit wie die Geselligkeit; war fähig zur Freundschaft, bewahrte aber stets einen gewissen Respektabstand; reiste gerne und wurde auch gerne seßhaft, wobei er es freilich nie länger als drei Sommer an einem Ort aushielt. Hatte er aber einen Flecken Erde einmal liebgewonnen, bewahrte er ihm sein Leben lang ein treues Gedenken. So schrieb er 1890 aus Ischl an Max Kalbeck, der damals seinen Urlaub in Maria Wörth verbrachte: »Gefreut aber hat mich und meine Gedanken angenehm beschäftigt Ihre Adresse. Schöne Sommertage kommen mir in den Sinn und unwillkürlich manches, mit dem ich dort spazieren ging, so die D-Dur-Symphonie, Violinkonzert und Sonate G-Dur, Rhapsodien und derlei. Und ›lebt denn der alte Hauschild noch?‹ Nämlich der alte, höchst lustige und frivole Pfaffe dort? Sein Lachen hörte man über den See (buchstäblich) und seine sehr schlimmen Witze bis Wien.«

Der Tod Clara Schumanns hatte Brahms schwer getroffen. Als er von ihrem Begräbnis nach Ischl heimkam, erkrankte er und war einige Monate danach selbst vom Tod gezeichnet. Er versuchte noch, in Karlsbad Heilung zu finden, kehrte aber bald nach Wien zurück.

Richard Specht berichtet in seiner Biographie (Johannes Brahms, Hellerau 1928) vom letzten Besuch des kranken Meisters in einem Philharmonischen Konzert, in dem Hans Richter seine vierte Symphonie in einer unvergeßlichen Wiedergabe dirigierte.

»Das Publikum tobt in Begeisterung«, lesen wir wörtlich. »Aber da Richter nach der Loge zeigt, in der man jetzt erst den todblassen Brahms entdeckt, bricht ein Orkan los, der sich nach jedem Satz steigert; es ist ein betäubendes Rufen, Schreien, Klatschen, die Leute steigen auf die Sitze, um die Leidensgestalt des furchtbar verheerten Meisters besser zu sehen, man winkt ihm mit Tüchern und Hüten zu, immer wieder muß er an die Logenbrüstung treten, und am Schluß will der gewaltige Jubel überhaupt kein Ende mehr nehmen – die Menschen unten wissen, sie sehen Brahms zum letztenmal, und Brahms weiß es auch …«

Er starb am 3. April 1897, etwa einen Monat vor jenem Tag, an dem an der Wiener Hofoper die große Zeit Gustav Mahlers begann, der einmal von Brahms behauptet hatte: »Er ist ein knorriger und stämmiger Baum, aber reife, süße Früchte …«

Hugo Wolf, 1895

Hugo Wolf

Ja! Ich weiß, woher ich stamme!
Ungesättigt gleich der Flamme
Glühe und verzehr' ich mich.
Licht wird alles, was ich fasse,
Kohle alles, was ich lasse,
Flamme bin ich sicherlich!

Dieses Gedicht Friedrich Nietzsches aus seinem Werk »Die fröhliche Wissenschaft« hat Frank Walker bewußt an den Beginn seiner umfassenden Hugo-Wolf-Biographie gesetzt. Denn Hugo Wolf, diesem Schöpfer so vieler unvergänglicher Lieder, der mit fünfzehn Jahren seinem Vater schrieb: »Mir ist Musik wie Essen und Trinken«, und dem Philosophen und Dichter Friedrich Nietzsche, der in seiner Kindheit und Jugend gleichfalls Lieder und Klavierstücke komponiert hat, war erstaunlich viel gemeinsam. Beide waren von hoher Intelligenz und Originalität. Beide wurden von der gleichen Krankheit und von den gleichen rauschhaften Inspirationen heimgesucht. Beide liebten die Sonne und den Süden. Und beider Leben verlief gleichsam in einem periodisch wiederkehrenden Auflodern, ehe es in geistiger Umnachtung erlosch.

Was verbindet nun diesen »göttlichen Liedersänger Hugo Wolf«, wie ihn Alban Berg in einem Brief an seine Frau einmal nannte, mit Kärnten?

Weniger, vielleicht aber auch mehr als jene drei Komponisten, deren Spuren wir rund um den Wörther See gefolgt sind. Denn während Johannes Brahms in Hamburg, Gustav Mahler im böhmischen Dorf Kalischt und Alban Berg in Wien geboren wurde und jeder von ihnen – abgesehen von Berg, der bereits als Kind manche Sommerferien am Ossiacher See verbracht hatte – erst auf dem Höhepunkt seines Schaffens vorübergehend nach Kärnten fand, erlebte Hugo Wolf entscheidende Jahre seiner Kindheit in unserem Bundesland, und zwar im Konvikt des Benediktinerstiftes St. Paul im Lavanttal, in dessen nördlichem Trakt, nahe der gotischen Rabensteiner Kapelle, wir eine Gedenktafel mit der Inschrift: »Hugo Wolf verbrachte in diesen Räumen seine Schuljahre 1871–73« finden.

Er wurde am 13. März 1860, also im gleichen Jahr wie Gustav Mahler, in Windischgraz im Südosten der damals noch Österreichisch-Ungarischen Monarchie geboren. Dieses freundliche, im Mislingtal am Fuße des Ursulaberges hingebreitete Städtchen, Sitz des Bezirksgerichts und der Bezirkshauptmannschaft, gehört längst zum ehemaligen Jugoslawien und heißt seit dem Jahre 1919 Slovenj Gradec.

Philipp Wolf, der Vater Hugo Wolfs. Er entstammte einer Familie, die sich bereits im 18. Jahrhundert in Windischgraz niedergelassen hatte.

Wer von St. Andrä im Lavanttal über St. Paul und Lavamünd nach Süden fährt, der spürt wohl die staatliche, aber keinerlei landschaftliche Grenze, so bruchlos gehen hier bewaldete Hügel und Felder ineinander über. Und wenn wir, einige Kilometer hinter der Stadt Dravograd, Slovenjgradec erreichen, so finden wir zu unserer Freude in Hugo Wolfs Geburtshaus eine hervorragend geleitete Musikschule untergebracht. Hier also, in diesem vom Staat pietätvoll behüteten Haus, das nun jahrüber von den Klängen musizierender Kinder erfüllt ist, wurde jener Komponist geboren, der selbst von früher Kindheit an so gerne musizierte.

Er entstammte väterlicherseits einer Familie, die sich bereits im 18.

Katharina Wolf, geb. Nußbaumer, die Mutter Hugo Wolfs. Sie kam aus Malborghet, einer Ortschaft, die damals in Kärnten lag, heute jedoch zu Italien gehört und Malborghetto heißt.

Jahrhundert in Windischgraz niedergelassen hatte und das Lederhandwerk betrieb. Seine Mutter hingegen kam aus Malborghet in Kärnten, einer Ortschaft, die jetzt zu Italien gehört und seit dem Jahre 1919 Malborghetto heißt. Sein Vater Philipp, am 1. Mai 1828 geboren, hätte gerne Architektur studiert, mußte sich aber der Familientradition fügen und das Ledergewerbe weiterführen. Er war ein höchst musikalischer Mann, der Klavier und Geige, aber auch Flöte, Harfe und Gitarre spielte und mit seinem Sohn, trotz einiger Trübungen, lebenslang durch die gemeinsame Begeisterung für die Musik verbunden blieb. Und da er dessen hohe musikalische Begabung schon früh erkannte, ließ er ihm auch schon früh den sorgfältigsten Klavierunterricht angedeihen, der die Grundlage für Hugo Wolfs spätere außerordentliche Beherrschung dieses Instrumentes schuf.

Aber auch auf der Geige machte er solche Fortschritte, daß sein Vater bald ein Hausorchester zusammenstellen konnte, in dem er selbst die erste, Hugo die zweite Geige, dessen Bruder Max Cello, der städtische Schullehrer Sebastian Weixler Viola und ein Onkel Ruess Horn spielten. Es ist überliefert, daß Hugo, das vierte von den acht Kindern, bald begann, seine musikalisch weniger interessierten Geschwister zu tyrannisieren. Überliefert auch, daß er 1866, also mit sechs Jahren, anläßlich eines Kostümfestes

Das alte Stadttheater in Klagenfurt zu der Zeit, als Hugo Wolf dort im Alter von acht Jahren seine erste Oper sah: »Belisario« von Gaetano Donizetti. Dieses erste große musikalische Erlebnis hinterließ in ihm einen nachhaltigen Eindruck.

erstmals öffentlich auftrat, worüber Augenzeugen wie folgt berichten: »In einer lichtblauen, seidenen Kniehose, in einem spitzenbesetzten Samtröckchen, mit Schnallenschuhen ausgestattet, spielte das Kind bis Mitternacht. Vom Schlaf überwältigt, mußte Hugo vom Vater heimgetragen werden.«

Dieses erste öffentliche Auftreten – man hatte sein Mozart-Kostüm dafür eigens aus Graz bestellt – hatte sich tief in das empfängliche Gemüt des Kindes geprägt. Noch mehr aber ein Ereignis, das sich zwei Jahre danach zutrug. Als sein Vater im November 1868 nach Klagenfurt reisen mußte, um seine älteste Tochter Modesta zu besuchen, nahm er den kleinen Hugo mit und erstand hier, um ihm eine besondere Freude zu bereiten, Eintrittskarten zu einer Aufführung der Oper »Belisario« von Gaetano Donizetti.

»Diese Aufführung, obwohl in einem drittklassigen Provinztheater, war das erste große musikalische Erlebnis des achtjährigen Hugo«, vermerkt

Frank Walker. »Überwältigt von der Zauberwelt des Theaters und gefesselt von Musik und Bühnenhandlung, folgte er vom ersten Augenblick an wie gebannt der Aufführung, gab keine Antwort, wenn man zu ihm sprach, und so sehr prägte sich ihm die Musik ein, daß er später imstande war, ganze Teile davon aus dem Gedächtnis auf dem Klavier wiederzugeben.«

Wenn man diese Zeilen liest, kann man nicht umhin, anzunehmen, daß damals der Grundstein gelegt wurde für seine lebenslange Sehnsucht,

Hugo Wolf im Alter von 14 Jahren

eine rechte Oper zu schreiben. Ein Wunsch, der ihm, wie man weiß, nie in Erfüllung gehen sollte. Denn sein Element war und blieb das Lied, und zwar so inständig, daß selbst seine einzige abgeschlossene Oper »Der Corregidor«, wie Frank Walker einmal meinte, nichts anderes werden konnte als »ein Liederbuch mit Orchesterbegleitung«.

Aber kehren wir noch einmal in Hugo Wolfs Elternhaus zurück, über das in jener Zeit eine Katastrophe hereinbrach: ein Brand, der das Wohnhaus, die Werkstatt und das gesamte Warenlager vernichtete, ein Schlag, von dem sich die Familie nur schwer zu erholen vermochte.

Ein Jahr nachdem Hugo die Volksschule abgeschlossen hatte, trat er, gemeinsam mit seinem zwei Jahre älteren Bruder Max, in Graz ins Gymnasium ein und nahm daneben im »Steiermärkischen Musikverein« Violin- und bei Johann Buwa Klavierunterricht. Freilich, in der Schule versagte er gänzlich, so daß er bereits nach dem ersten Jahr wegen »ganz ungenügender« Leistungen entlassen wurde.

Als man daraufhin beschloß, es im Stift St. Paul zu versuchen, schien es zunächst, als hätte man die rechte Wahl getroffen. Denn hier herrschte, verglichen mit den lärmenden, überfüllten Klassenzimmern in Graz, eine wohltuende Atmosphäre inmitten einer herrlichen Landschaft. »Sankt Paul – eine Schatzkammer der Kunst«, meint Herbert Strutz in seinem Buch »Kärnten auf vielen Wegen«. Und sein Blick fällt in den Hof vor dem Konventbau hinaus »auf den prächtigen Renaissancegrabstein des mit Fahne und Schwert abgebildeten Ritters Hans von Hanperg, Pfleger auf Rabenstein; und auf das Chorquadrat und die kegelbehelmten Tonnen der drei herrlichen Halbkreisapsiden, mit deren Rundbogenfriesen, Blendbogen, Säulen, Schachbrett- sowie Zickzackbändern, Palmetten, Weinranken und steinernen Lilien die Kirche hier wahrlich eine Kulisse von unauslöschlichem Eindruck schafft. Wie oft mag sie Hugo Wolf bestaunt und sich sinnend der Betrachtung des stillen Klosters hingegeben haben ...«

In solcher Umgebung blühte der Knabe auf. Zudem behandelten die Mönche die Schüler mit weit mehr Einfühlungsvermögen, als dies in den öffentlichen Schulen der Fall war. »In Hugos Klasse befanden sich nur zwölf Schüler, unter denen er sehr beliebt war«, schreibt Frank Walker und fährt, einen Absatz später, fort: »In seinen Erinnerungen aus dieser Zeit spricht Pater Sales Pirc, sein Lehrer, davon, mit welcher Lieber der junge Wolf an seinen Eltern hing, und hebt besonders seine Leidenschaft für Musik, vor allem für Klavier hervor, auf dem er es bereits zu bemerkenswerter Reife gebracht hatte. Nur die Tatsache, daß er noch keine Oktave ›spannen‹ konnte, verursachte ihm großen Kummer. Pater Sales bestellte aus Graz Potpourris aus Opern von Bellini, Rossini, Donizetti und Gounod, und diese bildeten nun hauptsächlich das musikalische Programm Hugos in St. Paul. Hugo durfte auch als einziger von den Schülern an Wochentagen in der Messe die Orgel spielen. Ferner wurde ein Trio gebildet, bei dem Herr Denk, der Sekretär der Anstalt, Cello, Hugo Klavier und ein anderer Schüler, Ernst Gaßmayer, Violine spielten. Nicht selten kam es auch vor, daß Vater Philipp Wolf dabei Geige spielte, wenn ihn seine Geschäftsreisen in die Nähe des Klosters führten, wobei er anscheinend die beträchtliche Strecke von Windischgraz nach St. Paul (ungefähr dreißig Kilometer) mit seinem eigenen Pferdewagen zurücklegte.«

Man sieht: Hugo war hier gut aufgehoben. Er fand Verständnis bei seinen Lehrern, war bei den Mitschülern beliebt, die sich bogen vor Lachen, wenn er ihnen mit einem vorgetäuschten Sprachfehler das Lied »O du lieber Augustin« vortrug. Auch blieb, wie wir eben hörten, der Kontakt mit

Hugo Wolf im Alter von etwa 20 Jahren

Hugo Wolf: »Das verlassene Mägdelein«, aus den Mörike-Liedern.
Faksimile-Seite des Autographs.

Hugo Wolf: »Das Ständchen«, aus den Eichendorff-Liedern. Faksimile-Seite des Autographs.

seinem Vater aufrecht. Es stand also alles zum besten. Und doch sollte es auch mit dieser Schule zum Bruch kommen, so daß Hugo genötigt war, erneut das Gymnasium zu wechseln und – diesmal mit seinem zwei Jahre jüngeren Bruder Gilbert – nach Marburg zu übersiedeln, wo er es freilich auch nicht für längere Zeit aushalten sollte.

Die Schuld an diesem Bruch lag, ohne Zweifel an Hugo Wolfs eigenwilligem Charakter. Welche seiner Biographien wir auch immer zur Hand nehmen – sei es nun die hier einige Male zitierte von Frank Walker oder das vierbändige Werk »Hugo Wolf« von Ernst Decsey oder das höchst anschauliche und konzentrierte, 1960 im Bergland Verlag, Wien, erschienene Bändchen »Hugo Wolf, Leben – Lied – Leiden « von Dolf Lindner –, stets finden wir den Komponisten als einen empfindlichen, parteiischen, aufbrausenden und gelegentlich bis zur Aufsässigkeit widerspenstigen Menschen geschildert, mit dem auszukommen gewiß nicht leicht fiel. Er war zwar in seinem Fach von zähem Fleiß und geradezu besessenem Lerneifer, umso laxer hingegen verhielt er sich gegenüber jenen Gegenständen, die ihn seiner Meinung nach nichts angingen. So kam er wohl in jenen Fächern mit, die ihn interessierten, wie etwa Geschichte und Geographie, Sprachen jedoch lehnte er ab, einfach, weil er sie nicht lernen wollte. Und da sein Lateinprofessor Hermann ein ungewöhnlich strenger, unnachgiebiger, zudem amusischer Mann war, der von seinen Schülern so viel verlangte, daß er von zwölf Schülern aus Hugos Klasse nur vier aufsteigen ließ, bestand gerade für Hugo, den schwächsten und überdies renitentesten unter ihnen, keinerlei Aussicht, Gnade vor ihm zu finden. Und so sah sich Pater Sales, sein Präfekt, bei allem Verständnis für die Begabung und die Ambitionen Hugos, schließlich genötigt, dessen Vater einen Brief zu schreiben mit der Bitte, seinen Sohn wegen völlig ungenügender Leistungen aus der Schule herauszunehmen. Einen Brief, den er übrigens fairerweise Hugo gezeigt hatte, ehe er ihn abschickte.

Es paßt zum Charakterbild Hugos, daß er zum einen diesen Schimpf nicht auf sich sitzen ließ und zum anderen seinen Eltern einen Brief schrieb – es ist sein frühester uns erhaltener Brief –, in dem er den Sachverhalt ganz anders darstellte, als er der Wirklichkeit entsprach. »Einiges ist wohl wahr, aber vieles schändlich erlogen«, führt er darin aus und fährt, nachdem er auf einige Gegenstände eingeht, in welchen er mehr oder minder entsprochen hat, fort: »Von meinem Benehmen schreibt er, daß ich stolz, trotzig, eigensinnig usw. sei. Ich kann dies gar nicht begreifen, wann er sich dies ausge-

Hugo Wolf: Partitur der Oper »Der Corregidor«, Beginn des ersten Aktes.
Faksimile-Seite (obere Hälfte) des Autographs.

tüpfelt hat. Ebenso log er infam, indem er zu mir sagte, wie er es Ihnen
schreibt, daß er mir gedroht habe, mich aus dem Stifte zu schaffen und ich
gesagt haben soll: Ich gehe nach Marburg. Auch schreibt er, daß ich ihn nie
um Verzeihung bat. Ich ging einmal schon im I. Kurs zu ihm und bat ihn
wegen etwas anderem um Verzeihung. Er wies mich aber zurück und sagte:
›Dies alles ist nur Heuchelei.‹ » Und nach einer Bitte um eine Badehose, einen Sommerrock und um Photographien der Eltern fügt er als Postskrip-
tum hinzu: »Heimlich geschrieben. Geben Sie ihm keine Antwort, weil er
Ihnen schrieb, warum Sie nicht am Dienstag gekommen sind. Ich bitte, sagen Sie ihm, daß der Schimmel krumm war, nicht daß ich geschrieben hatte, daß Sie wegen Präfecten, welcher auf mich sehr zornig war, nicht gekommen sind.«

Wie schon erwähnt, tat Hugo Wolf seinem Präfekten Unrecht. Denn gerade dieser Pater war stets bemüht, dem damals Dreizehnjährigen entge-

Hugo Wolf. Photogravüre mit eigenhändigem Namenszug. Ca. 1890.

genzukommen und ihm zu helfen. Das beweisen nicht nur die Zeugnisse ehemaliger Mitschüler, sondern auch drei durch Zufall erhaltene Briefe Pater Sales' an Hugos Vater, deren erster mit dem folgenden Absatz schließt: »Ich habe diesen Brief, wie er hier ist, dem Hugo vorgelesen und hoffte, ihn dadurch zur Reue und Einsicht zu bringen, in welchem Falle ich das Schreiben kassiert und Sie damit vielleicht nicht betrübt hätte. Leider täuschte ich mich. Ich sah an Hugo gar keine Veränderung – er bat nicht um Verzeihung, sondern, nachdem ich ausgelesen hatte, machte er rechtsum und ging, als wenn gar nichts wäre.«

Anderthalb Monate danach schrieb Pater Sales aufs neue den Eltern Hugos, um ihnen mitzuteilen, daß dem Aufsteigen Hugos in die nächsthöhere Klasse leider ein unüberwindliches Hindernis in Gestalt des »schrecklichen« Lateinprofessors Hermann im Wege stehe, so daß er nicht wisse, ob es ratsamer wäre, die Klasse zu repetieren oder, um sich die Schande des Durchfallens zu ersparen, vorzeitig auszutreten. Für diesen Fall aber fügte er hinzu: »Kommen Sie den Hugo, wenn möglich, selbst abholen, ich fürchte, der Knabe könnte sich was antun, wenn er nicht durchkommt. Er ist sehr leidenschaftlich.«

Der letzte, sechs Tage später geschriebene Brief klingt ein wenig zuversichtlicher: »Ich kann Ihnen nicht sagen, wie sehr mir das Schicksal Ihres Hugo zu Herzen geht, weil ich den Knaben trotz seiner zeitweiligen Leichtfertigkeit sehr lieb habe. Heute schreiben sie die letzte sogenannte Semestral-Composition, vielleicht reißt sich H. noch heraus, wie ihm dies gestern in der Mathematik u. Geometrie gelang. Er kommt in allen Gegenständen recht gut aus.«

Wie sehr das Schicksal Hugos seinem Präfekten tatsächlich am Herzen lag, ersieht man aus seinem Versprechen, seinen ganzen Einfluß beim Prälaten des Stiftes geltend zu machen, um für seinen »lieben Hugo« eine Herabsetzung des Schulgeldes auf ein Drittel oder womöglich eine vollständige Befreiung hievon zu erreichen. Denn »keineswegs«, so meinte er, »darf er zu studieren aufhören, es wäre ewig schade für den Knaben. Kommt Zeit, kommt Rath; mit den Jahren wird er gescheiter.«

Aber all sein Bemühen half nichts. Hugo wurde nicht »gescheiter«, sein Lateinprofessor setzte sich durch, und so mußte er schließlich das Konvikt verlassen. Es war sein einziger längerer Aufenthalt in Kärnten gewesen. Denn sein Lebensweg führte ihn nun zunächst ans Gymnasium in Marburg. Dann aber – durch die Fürsprache Katharina Vinzenbergs, einer

Schwester seines Vaters – nach Wien, wo er sich, wenn man von mehreren Aufenthalten in Perchtoldsdorf und in Unterach am Attersee sowie gelegentlichen Reisen absieht, für immer niederließ. Nach Kärnten aber kam er nur noch wenige Male, und auch dies zumeist nur auf Durchreisen nach Italien oder in seine Heimat. Über einen dieser Aufenthalte, bei dem er die Burg Hochosterwitz eingehend besichtigte, soll noch an anderem Ort berichtet werden.

Daß es auch am Gymnasium in Marburg zum Bruch kommen mußte, war nur eine Frage der Zeit. Denn weit lieber als mit seinen Pflichtgegenständen in der Schule beschäftigte er sich mit Musik, studierte Mozart, Haydn und vor allem Beethoven und schrieb hier seine ersten erhaltenen Kompositionen, wobei er in einem kleinen Notizbüchlein gewissenhaft Ort, Datum und sogar die Uhrzeit der Entstehung jedes Liedes und jedes Satzes festhielt.

Demnach setzt die lange Reihe seiner Kompositionen wie folgt ein:

Op. 1: Eine im April 1875 komponierte, seinem Vater gewidmete Klaviersonate, von der nur ein Adagio als Überleitung zu einem Allegro, ein Menuett und ein Trio erhalten sind.

Op. 2: Variationen für Klavier.

Op. 3: Fünf Lieder: »Nacht und Grab« (Zschokke), »Sehnsucht«, »Der Fischer«, »Wanderlied« und »Auf dem See« (alle vier von Goethe).

Daß es einen Knaben mit solcher Begabung und solchen Intentionen in die Musikstadt Wien drängen würde, war ebenso zu erwarten wie die Tatsache, daß er die Erfüllung dieses sehnsüchtigsten Wunsches durchsetzte; und zwar gegen den Willen seines Vaters. Und so finden wir ihn im Jahre 1875 als Studenten am Konservatorium zu Wien, wo er von Josef Hellmesberger in Geige, von Wilhelm Schenner in Klavier und von Robert Fuchs – gemeinsam mit dem gleichaltrigen Gustav Mahler, mit dem er übrigens zeitweise das Zimmer teilte und kameradschaftlich verbunden war – in Harmonielehre unterrichtet wurde. Daneben besuchte er fast täglich die vierte Galerie der Hofoper und begeisterte sich vor allem für die Musik Richard Wagners, bei dem er sich eines Tages vorstellte, als dieser im Hotel Imperial logierte.

In den folgenden Jahren der Suche war er, ständig in finanziellen Schwierigkeiten, immer wieder darauf angewiesen, seine Eltern um Geld zu bitten, schrieb aber gleichzeitig in einer Art Besessenheit Sonaten, ein Violinkonzert, ein Rondo Carpriccioso für Klavier und ein halbes Dutzend

Lieder; frühe, jedoch bereits durchaus originelle Werke, die zum Teil Fragmente geblieben sind. Wie bedrückend muß es doch für ihn gewesen sein, daß er, der nun in eine Art Schaffensrausch geriet, sich seiner finanziellen Lage wegen immer wieder genötigt sah, in einem Meidlinger Wirtshaus oft bis tief in die Nacht zum Tanz aufzuspielen.

Aber er fand auch Freunde, die schon früh seine Begabung erkannten und ihm zuweilen aushalfen. So etwa den Dirigenten Felix Mottl, den Dichter und Komponisten Adalbert von Goldschmidt, Vally Frank, mit der ihn eine jahrelange Liebe verband, den Hofjuwelier Köchert, in dessen Sommervilla in Traunkirchen er manchen Sommer verbrachte, die Familie Werner, die ihm oft die Möglichkeit bot, sich in ihrem stillen Haus in Perchtoldsdorf für Wochen intensiver Arbeit zurückzuziehen. Auch die Familie Preyss sei hier erwähnt, auf deren Landsitz Hugo Wolf immer wieder einkehrte, sowie Friedrich Eckstein, Henriette Lang, Franz Flesch, der bedeutende Sänger Ferdinand Jäger, die Sopranistin Frieda Zerny und vor allem der Dichter Hermann Bahr, der leidenschaftlich für Hugo Wolf und sein Werk eintrat.

Sie alle halfen, wo sie konnten. Darüber hinaus gab Hugo Wolf – der übrigens in Wien nicht weniger als 36mal seinen Wohnsitz gewechselt und zwischendurch auch in Beethovens und Johannes Brahms Sterbehaus gewohnt hatte – Klavierstunden und war zudem über drei Jahre Musikreferent am »Wiener Salonblatt«. Eine Tätigkeit, die ihm freilich mehr Feinde als Freunde einbrachte. Denn er war ein »grimmiger Wolf«, alles andere als gerecht, sondern voll leidenschaftlicher Parteinahme für Richard Wagner und Anton Bruckner, jedoch ohne Nachsicht oder gar Verständnis für Brahms. Als Hugo Wolf im April 1887 endlich seine Tätigkeit am »Wiener Salonblatt« aufgab, muß er sich wie erlöst vorgekommen sein. Denn nun bricht eine solche Fülle von Liedern aus ihm hervor, für die es in der gesamten Geschichte der Musik kaum ein ähnliches Beispiel gibt. Vor allem die Jahre 1888 bis 1890, die er vorwiegend in Perchtoldsdorf – zwischendurch freilich auch in Wien und in Unterach – verbrachte, waren von einer so enormen Schaffensfreude erfüllt, daß sich der Komponist zuweilen selbst wie ein Medium vorkam.

»Ich fühl's. Meine Wangen glühen vor Aufregung wie geschmolzenes Eisen, und dieser Zustand der Inspiration ist mir eine entzückende Marter, kein reines Glück ... Was mag mir wohl die Zukunft noch vorbehalten? ... Bin ich ein Berufener? Bin ich am Ende gar ein Auserwählter?« schreibt er seinem Freund Edmund Lang. Und noch am gleichen Tag: »... Nun reißen Sie die Nasenflügel auf. Kaum daß mein Brief expediert wurde, schrieb ich auch schon, den Mörike zur Hand nehmend, ein zweites Lied ... Nun beglückwünschen oder verwünschen Sie mich, ganz nach Belieben. – Sollte mir Polyhymnia aufsässig genug sein, mit einem dritten Liede zu drohen, werde ich die Schreckensnachricht persönlich morgen in aller Frühe überbringen.« Und noch am gleichen Abend: »Verachten Sie mich. Das Bubenstück ist vollbracht. Auch das dritte Lied ... ist mir gelungen und wie! Das ist ein ereignisvoller Tag.«

Tatsächlich komponierte er in der Zeit vom 16. Feber bis zum 18. Mai 1888 mitunter zwei und sogar drei Lieder an einem Tag, ehe er seine idyllische Behausung in Perchtoldsdorf für eine Weile räumen mußte und einen Urlaub antrat, der ihn zunächst nach Bruck an der Mur führte. Von hier aus unternahm er, gemeinsam mit seinem Schwager Josef Strasser, eine weite Fußwanderung durch die Obersteiermark und durch Kärnten, wo die beiden unter anderem auch die Burg Hochosterwitz besuchten und hier ein denkwürdiges Erlebnis hatten.

Als sie nämlich durch die leeren Hallen schritten, berichtet Frank Walker, »blieb Wolf plötzlich stehen und horchte. Geheimnisvolle Klänge drangen an sein Ohr, als spielte jemand in der Ferne Klavier. Er ging dem Klang nach und fand, daß er von einer Äolsharfe herrührte, die in einem Fenster des letzten Gemaches stand. Eine Weile lauschte er verzückt, lief dann zurück zu Strasser und sagte: ›Das ist doch wundervoll. Schau, ich hab' in meinem Leben noch nie eine Äolsharfe gehört, bis zum Augenblick, und so, wie die Äolsharfe da klingt, genau so hab' ich's erraten; so steht's in meinem Lied. Das ist doch merkwürdig.‹ « Es war tatsächlich merkwürdig, denn er hatte das Lied »An eine Äolsharfe« am 15. April 1888, also etwa sieben Wochen zuvor, komponiert.

Von diesen ausgedehnten Sommerferien heimgekehrt, stürzte er sich mit einem geradezu besessenen Fleiß in die Arbeit. Und wieder schrieb er nun mitunter zwei Lieder an einem Tag. Freilich gab es zwischendurch immer wieder Zeiten einer lähmenden Unproduktivität, in denen er völlig verzagen konnte und voll Bitterkeit notierte: »Ich kann mir gar nicht mehr vorstellen, was eine Harmonie, was Melodie ist, und beginne bereits zu zweifeln, ob die Compositionen unter meinem Namen auch wirklich von mir sind.«

Grabmal Hugo Wolfs von Hermann Hellmer auf dem Wiener Zentralfriedhof.
Aufgenommen um 1930.

So wechselten Stadien bodenloser Resignation mit neuerlichen Eruptionen, die uns in ihrer Gesamtheit einen kostbaren Schatz von einigen hundert unvergänglichen Liedern hinterließen. Seine unglückliche Liebe aber galt seit jeher – mag sein schon seit jenem ersten Theaterbesuch als Achtjähriger in Donizettis »Belisario« – der Oper.

Mutet es nicht besonders tragisch an, daß gerade zu der Zeit, als er endlich auch bei seinen Gegnern auf Anerkennung zu stoßen begann, seine schwere geistige Zerrüttung einsetzte, in der es geschehen konnte, daß er an Freunde wirre Notenzeilen schickte und darunter schrieb: »Brühwarm! Eben aus der Pfanne! Bin außer mir! Verkauft's mein G'wand! Bin selig! Rase!« Besonders tragisch aber auch, daß seine Geisteskrankheit voll zum Ausbruch kam, als sein Freund und Hofoperndirektor Gustav Mahler seine Oper »Der Corregidor« ablehnte, da er an keinen Erfolg am Theater glaubte.

Sein körperlicher, vor allem aber auch sein geistiger Zustand verschlimmerte sich nun zusehends, so daß man ihn, zunächst nur zeitweise, bald aber für immer in einer geschlossenen Anstalt unterbringen mußte, ehe er hier am Sonntag, dem 22. Feber 1903, in den Armen seines Wärters starb. Als er zwei Tage danach am Wiener Zentralfriedhof begraben wurde, rief ihm sein Freund Michael Haberlandt in seiner Trauerrede nach:

»So versammelst du, großer entschlafener Freund, wieder wie einst, wenn du uns in engem Kreis mit deiner Kunst entzücktest, die Schar deiner Freunde um dich ... Aber seht – aus dem kleinen Häuflein der Getreuen, die dir im Leben nahestehen durften, wurde eine große Trauergemeinde – die ganze Stadt, ein ganzes Volk ist es, das heute trauernd mit uns erlebt und sich in Ehrfurcht beugt vor der Schwere deines Schicksals, der Reinheit deines armen stolzen Lebens und dem Adel deiner himmlischen Kunst ...«

»Hugo Wolf verbrachte in diesen Räumen seine Studienjahre 1871–73« – so lesen wir auf jener eingangs erwähnten Gedenktafel im Benediktinerstift St. Paul, das diesen eigenwillig-genialen Knaben, dem ein anderer Weg vorgezeichnet war als seinen Mitschülern, nicht zu halten vermochte und sein romantisches Gemüt doch tief beeindruckte. Denn wenn er, wie Ernst Decsey berichtet, »von den Büchern aufsah, dann lag vor den Fenstern draußen das weite Lavanttal, Kärntens Paradies, bunt, ruhig und sonnig im Lande, und an der Seite stand wie ein riesiger Wächter die dunkle Koralpe. Und zwischen den uralten Steinportalen spielten die Märchen der Geschichte, in den hallenden Bogengängen saß die Romantik und wob ihre

Fäden. Geräumig laufen die offenen Gänge hin, an den Wänden hängen groß die Bilder der Äbte und Stiftsregenten ... Und unten in der hochbogigen Kirche liegen Herrscher Österreichs begraben: vierzehn Habsburger, unter ihnen Rudolfs des Ersten Gemahlin und der glorreiche Leopold, der bei Sempach fiel ... All diese Dinge sprachen tief in die Seele des Knaben hinein.«

Anton Webern

Anton Webern

Am Abend des 15. September 1945 wurde in Mittersill unmittelbar vor dem Haus Markt 101 durch ein tragisches Mißverständnis ein Mann erschossen. Der Schütze war ein Soldat der amerikanischen Besatzungsmacht. Der Getroffene: Anton Webern, von dem Igor Strawinski einmal behauptet hat, daß man in ihm nicht nur den großen Komponisten verehren müsse, sondern auch einen wirklichen Helden: »Zum Mißerfolg in einer tauben Welt der Unwissenheit und Gleichgültigkeit verurteilt, blieb er unerschütterlich dabei, seine Diamanten zu schleifen, seine blitzenden Diamanten, von deren Fundstelle er eine so vollkommene Kenntnis hatte.«

Tatsächlich kann man Weberns Kompositionen in ihrer konzentrierten Dichte und Durchsichtigkeit, ihrer formalen Ökonomie und ihren klaren, lyrischen Konturen mit Diamanten vergleichen. Sein »schöpferischer Antrieb«, so schrieb Heinrich Jalowetz, »ist ein Naturerlebnis, eine Vision von Dingen, die anders als mit musikalischen Mitteln nicht ausdrückbar sind. Erscheinungen aus einer so eigenen Welt, daß nur noch unerhörte Klänge sie hörbar machen können und eine empfindliche Scheu vor allem ›Gebrauchten‹ die Anfänge seines Weges bestimmen.«

Ähnlich urteilt Hans Heinz Stuckenschmidt, jener unerschrockene deutsche Musikkritiker, der es nach 1933, im bereits von Hitler beherrschten Deutschland, immer wieder wagte, offen für die verpönten Komponisten der Wiener Schule einzutreten. So etwa in seinen positiven Besprechungen der Opern »Wozzeck« und »Lulu« von Alban Berg wie auch in seiner in einem Berliner Blatt veröffentlichten Würdigung Anton Weberns zu dessen 50. Geburtstag, in der es wörtlich heißt: »Die Lauterkeit seiner Person hat ihm die Verehrung auch bei denen eingebracht, die seinem Werk verständnislos gegenüberstehen – und das sind viele. Er hat es ihnen freilich nie leicht gemacht; seine Musik ist in ihrer thematischen Gedrängtheit, in der Überspitzung kleinster Akzente, in ihrer radikalen Entmaterialisie-

rung nur einer Elite ge-
schultester Ohren zu-
gänglich. Ob sie über diesen engen Kreis hinaus
dringen wird und kann,
erscheint gleichgültig gegenüber der ethischen
Kraft, die sich in seiner
künstlerischen Haltung
ausdrückt ... Was das Mu-
sikleben unserer Zeit ...
ihm verdankt und damit
der Schule Schönbergs,
die er mit so beispielhafter
Größe repräsentiert, wer-
den erst spätere Genera-
tionen ganz ermessen.«

Wie prophetisch diese
Worte waren, wird einem
erst bewußt, wenn man
sich die Entwicklung der
Musik seit jener Zeit vor
Augen hält. Denn wo im-

Amalie v. Webern, geb. Gehr, die Mutter Anton
Weberns

mer man heute hinblickt, die junge Generation von Komponisten baut,
mehr oder weniger streng, ihre Musik nach dem System der Zwölftonrei-
hen. Ja, selbst einer der Großen im Bereich der Literatur, nämlich Thomas
Mann, hat sich in seinem schwierigen Alterswerk »Doktor Faustus – Das
Leben des deutschen Tonsetzers Adrian Leverkühn, erzählt von einem
Freunde« inständig mit dieser Materie auseinandergesetzt und, um sie
gründlich kennenzulernen, viele Gespräche mit Arnold Schönberg und
Theodor W. Adorno geführt, wovon sein Buch »Die Entstehung des Doktor Faustus – Roman eines Romans« ein beredtes Zeugnis ablegt.

Hat also die »Wiener Schule« heute längst jene weltweite Anerkennung
gefunden, die sie verdient, so möchte man darüber beinahe vergessen, wie
schwer es ihren Protagonisten Arnold Schönberg, Alban Berg und vor allem Anton Webern gefallen war, sich nicht nur in ihren musikalisch-avant-
gardistischen Bestrebungen, sondern auch gegen die ständige pekuniäre

Sektionschef Ing. Dr. Carl v. Webern, der Vater Anton Weberns

Misere durchzusetzen. Dabei begann gerade Anton Weberns Lebensweg, der an entscheidenden Stellen durch Kärnten führen und auf so tragische Weise enden sollte, unter denkbar günstigen Bedingungen, stammte er doch immerhin aus einer begüterten Familie. Sein Vater Carl von Webern war ein Sproß des Geschlechts der Weber Freiherren von Webern, deren Vorfahren aus Südtirol nach Kärnten eingewandert waren. Von Beruf Bergbauingenieur und Mitbegründer der Montanistischen Hochschule in Leoben, die ihm übrigens später das Ehrendoktorat verliehen hat, war er ein höchst angesehener und dekorierter Staatsbeamter, der es im K. K. Ackerbauministerium bis zum Sektionschef bringen sollte; ein gebildeter, künstlerisch freilich kaum ambitionierter Mann, während seine Frau Amalie von Webern, eine geborene Gehr, aus Mürzzuschlag stammend, als beachtlich gute Pianistin ihrem Sohn bereits in dessen fünftem Lebensjahr den ersten Unterricht auf dem Klavier erteilte.

In solcher Umgebung wuchs der am 3. Dezember 1883 in Wien geborene Anton Friedrich Wilhelm von Webern als zweites von drei Kindern – er hatte eine ältere und eine jüngere Schwester – heran, bis im Jahre 1890 eine Versetzung seines Vaters die Übersiedlung der Familie nach Graz mit sich brachte, wo Anton die Volksschule besuchte. Vier Jahre später wurde Carl von Webern abermals versetzt, und zwar nach Klagenfurt. Hier ließ sich die Familie zunächst im Haus Hasnerstraße 5, später in einer Villa in der Schiffgasse 13 (heute Tarviser Straße 28) nieder. Und hier trat der elfjährige

Anton im Schuljahr 1894/95 in die erste Klasse des Humanistischen Gymnasiums ein, das er bis zu seiner Matura im Sommer 1902 besuchte. Wie man seinen Zeugnissen entnehmen kann – in die mich Prof. Dr. Valentin Einspieler, der Direktor des Klagenfurter 1. Bundesgymnasiums, freundlicherweise Einblick nehmen ließ –, machten ihm die Gegenstände keine sonderlichen Schwierigkeiten, ja, in der ersten und der zweiten Klasse war er sogar Vorzugschüler. Freilich fühlte er sich stets mehr zu den

Der neunjährige Anton Webern mit seiner Schwester Marie, 1892

humanistischen Fächern hingezogen als zur Mathematik, zu der er erst in reiferen Jahren eine Beziehung finden sollte.

Es hat immer etwas Faszinierendes, in alten Dokumenten zu blättern, zumal dann, wenn sie so übersichtlich geführt und so sauber gebunden sind wie hier. Da kann man etwa lesen, daß die Klasse Anton Weberns stets über 40 Schüler zählte, daß Prof. Adrian Achitsch ihr Klassenvorstand war und einer der Mitschüler des heranwachsenden Komponisten später als Dr. Franz Kotnik an der gleichen Anstalt Slowenisch unterrichtet hat. Da findet man den gesamten Lehrstoff aller acht Schuljahre und schließlich eine Abschrift von Anton Weberns Maturazeugnis mit den Noten: Deutsch und Geographie: lobenswert; Philosophische Propädeutik, Turnen und Gesang: vorzüglich; alle übrigen Gegenstände: befriedigend oder genügend; im ganzen Schuljahr keine einzige Stunde versäumt. Das Thema der Abschlußarbeit in Deutsch hatte gelautet: »Welchen Bestrebungen des Menschen verdanken wir hauptsächlich unsere Kenntnisse in der Erd- und Völkerkunde?«

Wenn wir all diese teils schon ein wenig vergilbten Dokumente durchblättern und am Ende auf den Vermerk stoßen: »Anton Webern hat sich am 11. Juli 1902 der mündlichen Maturitätsprüfung unterzogen und hiefür ein Zeugnis der Reife erhalten«, so fällt uns unwillkürlich ein, daß genau fünf Wochen vor diesem Tag in der Klagenfurter Paulitschgasse, also unweit von jenem humanistischen Gymnasium, der Dichter Herbert Strutz geboren wurde, der knapp zwei Jahrzehnte später in Wien ein Schüler Arnold Schönbergs und Alban Bergs werden sollte und dabei auch mit Anton Webern bekannt wurde.

Doch zurück zu Weberns Schulzeit in Klagenfurt. Sein Gesangslehrer am Gymnasium war Professor Josef Reiter, der Leiter des Musikvereins für Kärnten. Josef Reiter hat in den 33 Jahren (von 1874 bis 1908) seines Wirkens in Kärnten nicht nur den hiesigen Musikverein, sondern auch die Musikschulen und den Kirchengesang auf bedeutsame Höhe gebracht, wofür er mit dem Goldenen Verdienstkreuz ausgezeichnet wurde. Zudem wurde in seiner Amtszeit zur Jahrhundertwende von der Kärntner Sparkasse das »Musiksaalgebäude«, unser heutiges Konzerthaus, erbaut, das endlich auch für große Orchesterkonzerte einen würdigen Rahmen bot.

Hat sich Reiter also um das öffentliche Musikleben in Klagenfurt höchst verdient gemacht, so konnte er doch die früh erwachte, eigenwillige musikalische Wißbegier des Knaben kaum befriedigen. Daher wurde von den offenbar verständnisvollen Eltern der Unterricht in den Fächern Klavier und Cello, vor allem aber in der Musiktheorie Dr. Edwin Komauer anvertraut, einem Finanzbeamten, der zwar nur nebenberuflich, doch mit umso größerer Ambition Musikunterricht erteilte, namentlich dann, wenn es sich um begabte Schüler handelte.

Ihm verdankte der junge Webern nicht nur eine gründliche Kenntnis der Allgemeinen Musiklehre und Instrumentenkunde, sondern auch die Bekanntschaft mit allen wesentlichen Werken der Musikliteratur, die von Komauer jeweils gründlich analysiert und kommentiert wurden. Dabei hielt man sich durchaus auf der Höhe der Zeit, indem man auch »avantgardistische« Werke vornahm, wie etwa die 2. Symphonie in c-Moll von Gustav Mahler, die 1895 in Berlin uraufgeführt worden war. Viele dieser Stücke wurden von Lehrer und Schüler an Hand der Partitur oder eines Klavierauszuges studiert und vierhändig gespielt. Mit einem Satz: Der Unterricht bei Komauer war für den jungen Webern eine ungemein befruchtende Zeit der Lehre, an die er sich später in seinen Tagebüchern und Briefen an

Der Preglhof bei Bleiburg in Kärnten, der ehemalige Besitz der Familie Webern

Schönberg und Alban Berg noch oft in Dankbarkeit erinnerte. Zudem machte er damals auch auf dem Cello, seinem Lieblingsinstrument, so gute Fortschritte, daß man ihn bald in Orchestern mitwirken ließ, so unter anderem bei einer Aufführung der 9. Symphonie von Ludwig van Beethoven.

Es ist mit Bestimmtheit anzunehmen, daß er sich schon in der Unterstufe des Gymnasiums im Komponieren versucht hat. Denn sein erstes erhaltenes Werk, die Vertonung des Gedichtes »Vorfrühling« von Ferdinand Avenarius – datiert: Klagenfurt: 12. I. 1899 –, weist bereits eine erstaunliche künstlerische Reife auf, die nur einer erreicht, der die Grundzüge des Handwerks bei einem guten Lehrer gelernt und zu verarbeiten gewußt hat.

Im September des gleichen Jahres komponierte der damals Fünfzehnjährige auf dem »Preglhof, 17. Scheiding 1899« zwei Stücke für Violoncello und Klavier, ehe er sich erneut der Vertonung von Gedichten zuwandte. Daß er dabei mit Vorliebe Texte von Ferdinand Avenarius, Richard Dehmel,

Gustav Falke und Detlev von Liliencron heranzog, lag zum einen an dem Umstand, daß dieser Dichterkreis zu jener Zeit gleichsam in Mode war, zum anderen an der durch und durch lyrischen Stimmung der ausgewählten Gedichte und ihren mit feinstem Pinsel gesetzten Spannungen.

»Leise tritt auf –
nicht mehr in tiefem Schlaf,
in leichtem Schlummer nur
liegt das Land ...«

oder:

»Was die Nacht mir gab,
wird mich lang durchbeben,
meine Arme weit
fangen Lust und Leben ...«

oder:

»In der Dämmerung, um Glock zwei, Glock dreie,
trat ich aus der Tür in die Morgenweihe ...«

So setzen die ersten in Klagenfurt komponierten Lieder Anton Weberns ein und geben damit den Grundton, der späterhin fast sein gesamtes Liedschaffen prägte. Und dies so sehr, daß er einmal meinte, bei ihm werde alles zu Lyrik, und in einem Brief vom 6. Dezember 1927 an Emil Hertzka, den Direktor der Universal-Edition, feststellt: »Wohl weiß ich, daß mein Werk rein geschäftlich noch immer äußerst wenig bedeutet. Aber das liegt wohl in seiner bis heute fast ausschließlich lyrischen Natur begründet: Gedichte sind freilich wenig einträglich; aber schließlich müssen sie eben doch geschrieben werden ...«

Nein, zu einem Geschäft konnte seine Musik niemals werden. Dazu war sie in ihrer Aussage zu schwierig und ihrer Form nach auf einen bis dahin nie zuvor erreichten musikalischen Telegrammstil verdichtet, der in seiner Neuartigkeit vom Zuhörer noch heute ein hohes Maß an Aufmerksamkeit und Mitarbeit erfordert. Das bezeugen alle Biographien über Anton Webern, vor allem die von Friedrich Wildgans, Walter Kolneder und Hanspeter Krellmann, der in seiner hervorragenden rororo-Monographie schreibt: »Weberns numerisch begrenztes Schaffen versteht sich aus der rigoros introvertierten Gebärde seiner Musik, ihrer Signalwirkung aus dem

Das zum Preglhof gehörige Gartenhäuschen

Konzentrat heraus. Aufs Molekül orientierte Arbeitsprozesse traten bei ihm an die Stelle eines expansiven Schaffensrausches. Alles Augenmerk war auf die Binnenstruktur und ihre konsequent angewandten, oft minimal-variativen Manipulationen gerichtet. Diese werden in jeder technischen Phase sichtbar und beherrschen als ästhetisches Prinzip alle noch so differenzierten und voneinander abgehobenen Verfahrensweisen.«

Trotz dieser asketischen Grundhaltung blieb Webern, vor allem wenn er eigene oder andere Werke interpretierte, zeitlebens ein leidenschaftlicher, zudem innig naturverbundener Mensch. Und damit kehren wir noch einmal nach Kärnten zurück, auf den Preglhof, wo – wie wir eben erfahren haben – der Fünfzehnjährige seine beiden ersten Stücke für Cello und Klavier komponiert hat.

Dieser stattliche, zweigeschossige Hof mit seinen geräumigen, großteils getäfelten Zimmern ist seit dem Jahr 1927 im Besitz der Familie Erwin Kühnel. Man erreicht diesen Landsitz, wenn man von Bleiburg zunächst nach Norden im flachen Jauntal, vorbei an der Wallfahrtskirche Heiligengrab und an St. Luzia bis nahe der Drauschleife und dann rund anderthalb Kilometer nach Osten bis zur Ortschaft Oberndorf fährt, die auf halbem Weg zwischen Bleiburg und Lavamünd liegt. Hier, etwa dreihundert Meter südlich der Durchzugsstraße, liegt der Preglhof, der einst Anton Weberns

Stiegenaufgang im Preglhof

Eltern gehörte. Hier verbrachte der Gymnasiast seine Ferien, und hierher sollte er noch oft zurückkehren, als er sich längst in Wien und zwischendurch in den verschiedensten anderen Städten niedergelassen hatte. Wie seine Tochter Maria Halbich-Webern berichtet, ließ er sogar seine Noten- und Skizzenbücher von seiner Frau eigenhändig mit handgewebtem Leinen vom Preglhof binden.

Wie bereits erwähnt, war er ein großer Naturfreund und Bergsteiger, der von seinen weiten Ausflügen stets seltene Pflanzen heimbrachte und im Garten einsetzte. Mit seinem einige Jahre älteren Vetter und Freund Ernst Diez, der später als Spezialist für ostasiatische Kunst zu hohem Ansehen kam, hatte er bereits in jungen Jahren die meisten Gipfel dieser Gegend und später, oft mit Seil und Pickel, manchen höheren Berg erstiegen. Wenn er am 4. Juli 1912 aus Stettin an Alban Berg schrieb: »Ich möchte weg, nur weg. Ins Gebirge. Dort ist alles klar, das Wasser, die Luft, die Erde ...«, so erinnert uns diese Stelle an einen Brief Alban Bergs, den dieser als Maturant 1904 in Kärnten verfaßt hatte: »Ich fühle die Sehnsucht nach den höchsten Spitzen der Schneeberge – nach klarer Eisesluft – dort, wo man das Gefühl hat, man brächte keine Lüge über die Lippen ...« (Vgl. S. 17.)

Diese Sehnsucht nach hohen Gipfeln kam bei Webern, wie er in einem anderen Brief an Alban Berg schreibt, nicht aus sportlichem Ehrgeiz, sondern aus dem »Suchen von Höchstem, Auffinden von Korrespondenzen in der Natur für alles das, was mir vorbildlich ist, was ich gerne haben möchte ... Nicht die schöne Landschaft, die schönen Blumen im üblichen romanti-

Anton Webern, 1932
Rechte Seite: Wilhelmine (Mina) Mörtl, die Cousine und spätere Frau Anton
Weberns (Heirat 1911), 1909

113 ANTON WEBERN

schen Sinne bewegen mich. Mein Motiv: der tiefe, unergründliche, unausschöpfbare Sinn in allen diesen, besonders diesen Äußerungen der Natur. Alle Natur ist mir wert, aber die, welche sich dort ›oben‹ äußert, am wertesten.«

Wer dies liest und zudem erfährt, daß Anton Webern sich besonders zu Gletschern und Felsen hingezogen fühlte, zu trockenen Karen mit dürftigster Vegetation, über die von Zeit zu Zeit ein Stein hinunterkollert oder ein einzelner Vogel hinwegstreicht, dem wird bewußt, daß viele seiner Werke in ihrer dünnen und gleichsam eisigen Lyrik die Atmosphäre solcher von Menschen nur selten betretenen Landschaften widerspiegeln.

Zur Belohnung für die bestandene Matura ermöglichte Carl von Webern seinem Sohn im Sommer 1902 eine Reise nach Bayreuth, die ihn so tief beeindruckte, daß er nach seiner Rückkehr eine Ballade mit dem Titel »Siegfrieds Schwert« nach einem Gedicht von Ludwig Uhland für Bariton und großes Orchester komponierte und in seinem Entschluß, sich ganz der Musik zuzuwenden, nur noch bestärkt wurde. Aber der Vater hatte anderes mit ihm im Sinn. Er hätte es lieber gesehen, daß sein einziger Sohn einmal die Wirtschaft am Preglhof führen und zu diesem Zweck an der Hochschule für Bodenkultur in Wien inskribieren würde.

Davon aber wollte Anton, bei allem Gehorsam und Respekt, den er seinem Vater stets entgegenbrachte, nichts wissen. So einigte man sich schließlich darauf, daß er an der Wiener Universität Musikwissenschaft studieren sollte, und noch im gleichen Jahr übersiedelte er nach Wien. Hier fand er zunächst in dem angesehenen Musikwissenschaftler Guido Adler einen hervorragenden Lehrer, besuchte, so oft er konnte, Konzerte und Opernaufführungen, nahm Klavier- und Violoncello-Unterricht und trat als Chorsänger dem »Akademischen Wagnerverein« bei.

Zum einschneidendsten Erlebnis jener Zeit aber wurde für ihn der Eintritt in das Seminar Arnold Schönbergs im Jahre 1904, wo er den um zwei Jahre jüngeren Alban Berg kennenlernte, mit dem ihn bis zu dessen frühem Tod am 24. Dezember 1935 eine innige und ungetrübte Freundschaft verband. Bedauerlicherweise ist der Briefwechsel zwischen diesen beiden Komponisten noch immer nicht zur Veröffentlichung freigegeben. Denn er enthält nicht nur Fragen und Antworten zu musikalischen, sondern auch zu

Rechte Seite: Erste der Sechs Bagatellen für Streichquartett, op. 9, 1913. Faksimile-Seite des Autographs.

philosophischen, politischen und ganz persönlichen Problemen sowie in seiner Gesamtheit ein Bildnis des gemeinsamen Lehrers Anton Schönberg, dessen Werke und dessen Methode, Schüler zu unterrichten.

Josef Rufer schreibt in einem Essay des Bändchens »Die Wiener Schule und ihre Bedeutung für die Musikentwicklung im 20. Jahrhundert« (Verlag Österreichische Musikzeitschrift, Wien 1961), wenn man Schönberg den Zerstörer der Tradition genannt habe, so habe er selbst die Antwort vorweggenommen, indem er oft betonte: »Nie war es Absicht und Wirkung neuer Kunst, die alte, ihre Vorgängerin, zu verdrängen oder gar zu zerstören. Im Gegenteil: tiefer, inniger und respektvoller liebt keiner seine Vorfahren als der Künstler, der wahrhaft Neues bringt. Denn Ehrfurcht ist Standesbewußtsein, Liebe und Zusammengehörigkeitsgefühl.«

Tatsächlich hat Schönberg seinen Schülern stets die Ehrfurcht vor der Tradition gepredigt und versucht, vor allem ihrer eigenen Persönlichkeit zum Durchbruch zu verhelfen. »Ich war immer ein passionierter Lehrer«, bekannte er am 26. April 1951, also knapp zwei Monate vor seinem Tod. »Es hat mich immer gedrängt, herauszufinden, was Anfängern am besten hilft, wie man sie mit den technischen, geistigen und ethischen Erfordernissen unserer Kunst vertraut machen könne! Wie ihnen beizubringen, daß es eine Kunstmoral gibt, und warum man nie aufhören darf, sie zu pflegen, jeden aber, der sie verletzt, aufs schärfste zu bekämpfen.«

Webern wurde sein liebster Schüler. Wie sehr diese Beziehung auf Gegenseitigkeit beruhte, hat er selbst im Jahre 1924 in den »Musikblättern des Anbruchs« ausgedrückt: »Zwanzig Jahre ist es gerade her, daß ich Schüler Arnold Schönbergs geworden bin. Aber, wie sehr ich mich bemühe, ich kann den Unterschied zwischen damals und jetzt nicht fassen, Freund und Schüler: immer war der eine der andere.«

Manche seiner Kompositionen aus seiner Lehrzeit bei Arnold Schönberg, die von 1904 bis 1908 dauerte, sind in Wien, andere in Kärnten entstanden, wie etwa die ersten Skizzen zum symphonischen Gedicht »Im Sommerwind«. 1904 hatte er sich mit seiner Cousine Wilhelmine Mörtl verlobt und 1906 bei Guido Adler mit einer musikwissenschaftlichen Ar-

Rechte Seite: Anton Webern mit Alban Berg, den er 1904 in Wien beim Studium kennenlernte und mit dem ihn bis zu dessen frühem Tod 1935 eine herzliche Freundschaft verband.

ANTON WEBERN

beit zum Dr. phil. promoviert. Am 7. September des gleichen Jahres starb seine Mutter auf dem Preglhof. Sie wurde auf dem Friedhof der benachbarten Ortschaft Schwabegg beerdigt, wo man noch heute, in einem eigens abgegrenzten Teil, ihren Grabstein und die einiger ihrer Verwandten finden kann. Ihrem Andenken hat Webern sein von Schönberg als Talentprobe geschätztes, 1907 in einem Wiener Privathause vor geladenen Gästen uraufgeführtes Klavierquintett in C-Dur gewidmet.

Hatte er, wie eben erwähnt, einige Monate vor dem Tod seiner Mutter sein Studium an der Wiener Universität mit Erfolg abgeschlossen, so dachte er doch keineswegs daran, sich musikwissenschaftlich oder -theoretisch zu betätigen. Vielmehr drängte es ihn, der mittlerweile einige bekannte Komponisten, darunter auch den von ihm, Schönberg und Berg verehrten Gustav Mahler kennengelernt und selbst eine Reihe von Liedern und etliche Stücke für Streichquartett geschrieben hatte, zur Praxis. Freilich, um ein freischaffender Komponist zu werden, fehlten ihm die nötigen finanziellen Mittel. Daher entschloß er sich, nachdem er im Frühjahr 1908 seine Lehrzeit bei Arnold Schönberg mit seinem »Gesellenstück«, der später als op. 1 bezeichneten »Passacaglia« abgeschlossen hatte, seinen Lebensunterhalt für sich und seine künftige Familie als Dirigent zu verdienten. So kam es zu jenen Wanderjahren als Theaterkapellmeister, die an Gustav Mahlers Weg erinnern.

Es begann im Sommer 1908 in Bad Ischl, dem Sommeraufenthalt des österreichischen Kaiserhauses, wo Webern zum 2. Kapellmeister des Kurorchesters sowie zum Korrepetitor und Aushilfskapellmeister des Kurtheaters bestellt wurde. Man weiß bis heute nicht, durch wen er zu dieser Anstellung gekommen war, noch wo er sich das Rüstzeug erworben hat, ein Orchester zu leiten. Tatsache bleibt, daß gerade er, als »Autodidakt« später zu einem der hervorragendsten und gewissenhaftesten Dirigenten und Interpreten seiner Zeit werden sollte; und dies nicht nur eigener, sondern auch der Werke Beethovens, Schönbergs und anderer Meister.

So berichtete Alban Berg seiner Frau Helene einmal von einer denkwürdigen Aufführung der 3. Symphonie von Gustav Mahler unter Weberns Leitung: »Beim ersten Satz, dieser einmaligen, unendlichen Steigerung, erging's mir altem Teppen genau wie vor 20 Jahren unter Mahler. Das ist ganz einfach nicht auszuhalten, ich wäre am liebsten hinausgerannt. Aber das ist eben nur so erklärlich, daß hier zum erstenmal nach Mahler wieder das richtige Tempo und damit der richtige Klang in Erscheinung trat.«

In jenem Sommer in Ischl war es freilich noch lange nicht so weit. Vielmehr mußte er sich hier sein künftiges Rüstzeug erst aus eigener Anschauung, eigener Erfahrung und in mühevoller Kleinarbeit erwerben; immer wieder angewidert vom seichten Kulturbetrieb, wie er in solchen Sommerfrischen gerne herrscht. So etwa, wenn er seinem Vetter Ernst Diez, der um diese Zeit in Dresden weilte, sein Leid klagte: »Es wäre mir außerordentlich recht, wenn Du kämest. Du erleichtertest mir den Aufenthalt in dieser Hölle. Meine Tätigkeit ist schrecklich. Ich finde keinen Ausdruck für so ein Theater! Aus der Welt mit solchem Dreck! Welche Wohltat wäre der Menschheit getan, vernichtete man sämtliche Operetten-, Possen- und Volksstück-Theater! Dann fällt niemandem mehr ein, daß er um jeden Preis ein derartiges ›Kunstwerk‹ zustandebringen muß!«

Man kann sich vorstellen, wie schwer es ihm

Anton Webern, der Naturfreund und Bergsteiger

gefallen sein mußte, sich aus solcher Umgebung in die reine, herbe Atmosphäre eigenständiger Arbeiten zurückzuziehen. Oft mag es ihm zumute gewesen sein wie dem übrigens im gleichen Jahr wie er selbst geborenen Dichter Franz Kafka, der am 15. November 1910 in seinem Tagebuch vermerkte: »Ich werde mich nicht müde werden lassen. Ich werde in meine Novelle hineinspringen, und wenn es mir das Gesicht zerschneiden sollte.«

Am 8. November 1908 wurde seine Passacaglia op. 1 unter seiner eigenen Leitung im Großen Musikvereinssaal in Wien uraufgeführt. Im gleichen Jahr hatte er sein op. 2, »Entflieht auf leichten Kähnen«, für gemischten Chor a cappella, und sein op. 3, Fünf Lieder nach Stefan George, abgeschlossen und mit Eifer Teile aus »Alladine und Palomides« von Maeterlinck zu komponieren begonnen, einem Opernvorhaben, das er freilich bald für immer fallenließ. Es folgten 1909 Fünf Sätze für Streichquartett op. 5, 1910 die bekannten Sechs Stücke für großes Orchester op. 6 und Vier Stück für Geige und Klavier op. 7. Im Sommer nahm er ein Engagement als Theaterkapellmeister in Teplitz und anschließend als Aushilfskapellmeister in Danzig an, wo es unter anderem wieder zu einer Aufführung der Passacaglia op. 1 unter seiner Leitung kam.

Zum stärksten Erlebnis jener Zeit wurde für ihn die berühmte Uraufführung der 8. Symphonie von Gustav Mahler am 12. September 1910 in München, bei der, die Chöre miteingerechnet, über tausend Leute mitwirkten. Was im geistigen Leben Rang und Namen hatte, kam angereist, um dieses Riesenwerk anzuhören, dessen erste Teile übrigens in Kärnten, in jenem tief im Wald oberhalb von Maiernigg am Wörther See gelegenen »Komponierhäusl« entstanden waren. So kamen Max Reinhardt, Thomas Mann, Alfred Roller, Otto Klemperer, Leopold Stokowski, Siegfried Wagner, Wilhelm Mengelberg, Schönberg, Berg, Webern ..., um nur einige unter den rund dreitausend begeisterten Zuhörern zu nennen.

Am 22. Februar 1911 heiratete Anton Webern in Danzig seine Cousine Wilhelmine Mörtl und zog mit ihr für ein Jahr nach Berlin, wo ihr erstes Kind, die Tochter Amalie, geboren wurde. Da all seine Bemühungen, hier eine feste Anstellung zu finden, zum Scheitern verurteilt blieben, verließ ihn offenbar der Mut. Denn – so berichtet Friedrich Wildgans in seiner Biographie – »anstatt zurückzukehren an seine Arbeitsstätte, begab er sich in seine Kärntner Jugendheimat nach Klagenfurt – den Preglhof hatte sein Vater bereits verkauft –, wohin ihn das Heimweh trieb; er verbrachte hier den Sommer, tauschte mit Berg, der am nahen Ossiacher See auf seinem

Familienbesitz weilte, Besuche und freute sich nach dem in qualvoller und pflichtgebundener Ferne verbrachten Danziger Jahr des ›illegalen‹ Aufenthaltes in der gewohnten Heimat.«

Dieser Eigenschaft, aus unerträglich gewordener Lage sei es nun an einen anderen Ort oder in eine Krankheit zu flüchten, begegnen wir bei Anton Webern immer wieder. So auch im Jahre 1912, als er in Stettin Theaterkapellmeister wurde und es hier, beschäftigt »mit albernster Musik«, kaum aushielt, jede Gelegenheit nützte, nach Wien oder Klagenfurt auszubrechen, und bereits ein halbes Jahr nach Antritt seiner Stelle seinen Vertrag löste. Besonders bedrückte ihn, daß er in seiner Stettiner Zeit keine Zeile komponiert, sondern lediglich einige Erfahrungen im Dirigieren gesammelt hatte. Ein Lichtblick: Hier wurde im Februar 1913 seine zweite Tochter, Maria, geboren.

Nach einer Kur auf dem Semmering, einer Nachkur in Portorož und einem Urlaub in Kärnten ließ er sich nun für eine Weile in Wien-Hietzing, nahe der Wohnung Alban Bergs, nieder. Hier komponierte er die Bagatellen op. 9 für Streichquartett, die Orchesterstücke op. 10, drei Stücke für Cello und Klavier op. 11, das Fragment des Bühnenspiels »Tot« und einige Orchesterlieder. Aber diese Idylle sollte nicht lange anhalten. Denn die ständige finanzielle Notlage zwang ihn aufs neue, Verhandlungen mit einem Theater aufzunehmen; diesmal mit der Bühne in Prag, wo sein Freund, der Komponist und Dirigent Alexander von Zemlinsky, wirkte.

Unterdessen war der Erste Weltkrieg ausgebrochen, in dem Webern 1915, im Geburtsjahr seines Sohnes Peter, als Einjährig-Freiwilliger einrückte. Anfang 1917 wurde er jedoch vom Militärdienst befreit und trat jene Stelle als Theaterkapellmeister in Prag an. Aber auch hier hält es ihn wieder nicht lange. Und so begegnen wir ihm, nach kurzem Zwischenaufenthalt in Wien, wieder in Klagenfurt. »Da in Kärnten ist's doch noch viel besser«, berichtet er am 1. Juli 1917 auf einer Karte Alban Berg. »... Ich bin wieder gut im Komponieren drin. Anfangs operierte ich noch viel herum. Jetzt sind mir zwei Orchesterlieder, glaube ich, gut gelungen. Eins: ›Wiese im Park‹ von Karl Kraus, eins nach einem Trakl-Gedicht ›Abendland 3‹. Hoffentlich hält es! – Ende Juli komme ich nach Wien zurück ... «

Doch von Wien ging es zunächst noch einmal nach Prag, wo er seine Tätigkeit als Kapellmeister am Deutschen Theater noch bis zum 3. Mai 1918 fortführte, ehe er in Mödling, Neusiedler Straße 58, jene Wohnung mietete, die er bis knapp vor seinem Tod beibehielt. Hier, kaum fünf Minuten von Schönberg entfernt, der gleichfalls in Mödling wohnte, komponierte Webern in seinem von der Familie streng isolierten Arbeitszimmer fast alle seiner Werke ab dem op. 16. Hier wurde 1919 das vierte Kind, die Tochter Christine, im gleichen Jahr geboren, in dem sein Vater im Alter von 69 Jahren in Klagenfurt starb. Hier wurde Webern Chormeister des Mödlinger Männergesangsvereins und des Wiener Schubert-Bundes, und von hier aus unternahm er all jene Reisen, die ihn später zur Aufführung eigener Werke in verschiedene europäische Städte führen sollte: nach Düsseldorf, Salzburg, Berlin, Donaueschingen, Frankfurt, Winterthur, zweimal nach Barcelona und einige Male nach London.

1922 wurde ihm vom Verein »Sozialdemokratische Kunststelle« die Leitung der »Wiener Arbeiter-Symphonie-Konzerte« übertragen. In ihrem Rahmen fand er den rechten Boden für seine Anlagen und seine Bestrebungen, denn hier wurde, im Gegensatz zum konservativen, modernen Tendenzen abgeneigten Wiener Kulturbetrieb, erstaunlich viel für die zeitgenössische Kunst geleistet und zudem eine hohe volksbildnerische Aufgabe vorbildlich erfüllt. Im gleichen Jahr wurde er Dirigent der »Freien Typographia« in Wien, ein Jahr später Chormeister des Wiener Arbeiter-Singvereins, und wieder ein Jahr später wurde er mit dem Großen Musikpreis der Stadt Wien ausgezeichnet. Hiezu kam eine Anstellung als Dirigent und später als Fachberater, Lektor und Zensor beim Rundfunk. Kurzum, die elf Jahre zwischen 1922 und 1933 wurden zur aktivsten und erfolgreichsten Zeit in Anton Weberns Leben.

Bald nach seinem 50. Geburtstag aber wurde ihm gleichsam der Boden unter den Füßen entzogen. Denn als nach dem Dollfuß-Putsch die sozialdemokratische Partei in Österreich verboten wurde, verlor er alle Ämter in der Kunststelle und beim Rundfunk. Man kann sich vorstellen, wie schwer er sich nun durch Stundengeben und vom Ertrag sporadischer Konzerte, die es zumeist nur im Ausland gab, durchzuschlagen hatte und wie oft es ihn bedrückt haben mag, daß seine Angehörigen den Preglhof verkauft und das restliche Vermögen durch die Inflation verloren hatten. Damals erwog er, der mittlerweile nach Maria Enzersdorf übersiedelt war, zum ersten Mal, nach London auszuwandern. Und doch blieb er immer wieder. Denn er wollte nur in Österreich leben, obgleich ihn – wie er sich in einem Brief an Ernst Křenek einmal beklagte – seine Landsleute stets so schlecht behandelt hatten.

Doch es sollte noch schlimmer kommen. Denn nach dem Anschluß an

Deutschland im März 1938 wurde seine und der ganzen Wiener Schule Musik von Hitler und seinen »Kunstsachverständigen« für »entartet« erklärt. So wurde es, abgesehen von einigen Aufführungen seiner Werke in England und in der Schweiz, für die Dauer des 1939 ausgebrochenen Krieges erschrecken still um ihn, so daß auch in Fachkreisen mancher behauptete, man werde nie mehr von ihm hören.

Indessen schrieb er, der 1932 von Schönberg zum ersten Mal in die Zwölftonmethode eingeführt wurde, seine letzten vier Werke op. 29 bis 32 in völliger Isolation und unter denkbar schweren Bedingungen. Wie sein Freund, der Dirigent Hans Swarowsky, berichtet, hatte er kaum noch Schüler. Also wurde der

Anton Webern als Dirigent. Probe für die 6. Symphonie von Gustav Mahler am 23. Mai 1933

Lebensstil der Familie eingeschränkt. Dennoch hielt man stets ein gastliches Haus. Dabei gab es häufig einen »Heidensterz«, eine Kärntner Bauernspezialität, die nicht nur der Familie, sondern auch den Gästen mundete.

Doppelt allein fand sich Webern durch den Umstand, daß Alban Berg 1935 gestorben war und Arnold Schönberg aus »rassischen Gründen« nach

Amerika hatte auswandern müssen. Im Februar 1945 traf diesen nun gänzlich zurückgezogenen Mann ein neuer schwerer Schlag, als sein einziger Sohn Peter, mit einem Militärtransport von Dresden nach Agram unterwegs, bei einem Tieffliegerangriff auf den Zug getötet wurde.

»Der Vater«, so vermerkt Friedrich Wildgans, »konnte den tragischen Verlust des Sohnes in dessen 30. Lebensjahr nicht überwinden und war daher von einer panischen, ihm jede vernünftige Überlegung raubenden Angst gepackt, unter deren Zwang er sich auch zu Ostern 1945 entschloß, gemeinsam mit seiner Gattin Mödling zu Fuß zu verlassen ... Und den Versuch zu unternehmen, sich ins Salzburgische durchzuschlagen, um sich möglichst in der Nähe seiner Kinder, die in Mittersill bei Zell am See Zuflucht gefunden hatten, vor den letzten Kriegsereignissen, die wahrscheinlich auf Heimatboden stattfinden würden und von denen sich Webern Bösestes erwartete, in Sicherheit zu bringen.« So Friedrich Wildgans.

Maria Halbich-Webern allerdings berichtet, daß die Abreise keineswegs überstürzt geschehen sei, sondern daß ihr Vater schon einige Zeit davor den Umzug geplant habe, wofür allein schon die Tatsache spreche, daß er sich die Genehmigung von der Bezirkshauptmannschaft und alle weiteren nötigen Papiere bereits beschafft habe. »Es wurde allerdings«, berichtet sie wörtlich, »dann so kritisch, daß es in Wien Schwierigkeiten gab mit den Zügen und die Eltern zu Fuß von Maria Enzersdorf in den letzten Kriegstagen aufbrachen.«

Er hatte sich in Sicherheit gebracht, ohne zu ahnen, was ihn am Ende in Mittersill erwarten sollte. Zunächst ließ sich alles gut an. Er lebte auf im Kreis seiner Familie, unternahm Wanderungen in die nahen Berge und erhielt zwei Monate nach dem Zusammenbruch aus Wien die Nachricht, daß man ihn zum Präsidenten der neu gegründeten Sektion Österreich der IGNM (Internationale Gesellschaft für Neue Musik) gewählt habe. Es mag ihm eine bittere Genugtuung gewesen sein, daß man ihn nicht vergessen hatte. Aber er war Österreichs müde geworden und fest entschlossen, so bald als möglich nach England zu ziehen.

Doch dazu sollte es nicht mehr kommen.

Es fehlt hier an Raum, näher auf die tragischen Umstände von Weberns Tod einzugehen, die der amerikanische Musikwissenschaftler Hans Moldenhauer in seiner Studie »Der Tod von Anton Webern« genau zu rekonstruieren versucht hat. Feststeht, daß er mit seiner Frau am 15. September

Anton Webern. Zeichnung von Hildegard Jone.

1945 bei seinem Schwiegersohn Benno Mattel zum Nachtmahl eingeladen war. Der Zufall fügte es, daß die amerikanische Besatzungsmacht am gleichen Abend bei Mattel, der umfangreicher Schleichhandelsgeschäfte verdächtigt war, eine Hausdurchsuchung angeordnet hatte. Webern, ahnungslos und befremdet von all dem, was hier vorging, wollte eine Zigarre, die ihm sein Schwiegersohn eben spendiert hatte, nicht im Zimmer, sondern aus Rücksicht auf die dort schlafenden Kinder im Freien rauchen. Doch als er sie beim Hinaustreten vors Haus anzündete, wurde er ohne vorherige Warnung von einem jener Soldaten, die das Haus umstellt hatten, niedergeschossen. Er vermochte sich zwar noch mit letzter Kraft ins Haus zu schleppen, wo man ihn auf einen Diwan bettete, starb jedoch auf dem Weg ins Krankenhaus.

Der unglückliche Schütze Raymond N. Bell überlebte ihn fast auf den Tag genau zehn Jahre, ehe er an den Folgen schweren Alkoholmißbrauchs zugrunde ging. Er soll, wie seine Witwe an Moldenhauer schrieb, sooft er betrunken war, gesagt haben: »Ich wünschte, ich hätte den Mann nicht getötet!«